絶対決める!

数的推理
判断推理

公務員試験合格問題集

新星出版社

本書の構成と使い方

本書は，公務員試験の数的推理・判断推理の頻出問題を，それぞれのテーマ別にわかりやすく，解説したものです。

数的推理や判断推理で前提となる数学の知識としては，中学校～高校1年程度のものがほとんどで，使う公式も基本的なものばかりです。

しかし，数学の教科書に出ている問題とは，一見して異なるタイプのものもたくさん出題されます。

本書では，3ステップ式の構成としており，数的推理・判断推理の頻出テーマの解法が，効率的に短期間で身につけられます。

●数的推理と判断推理の頻出テーマを効果的に学習！

よく出るテーマとして，数的推理から21テーマ，判断推理から15テーマをピックアップし，短期間で効果的な学習が可能です。

●３ステップ式で無理なくレベルアップ！

STEP 1では，各テーマの基本となる問題を例題として取り上げ，STEP 2では，例題を解く上で，どのような考え方をすべきか，どの公式を使うか等のポイントをわかりやすく説明しています。

特に判断推理の問題では，図を描いたり，表を作ったりして，“実際に手をうごかして”考えていきましょう。

●特訓問題で充分な演習！

そして，STEP 3では，STEP 2の解法パターンを踏まえた特訓問題を取りあげ，実際の試験に向け，充分な練習ができます。

最後に，本書を活用のみなさんが，公務員試験を突破することを心よりお祈りいたします。

CONTENTS

数的推理 編

判断推理 編

3ステップ式でラクラク覚える♪

数的推理編

整　数

方程式や不等式をつくる際の
整数のおき方を工夫しよう！

STEP 1　まずは，例題を解いてみよう！

2 桁の自然数があります。十の位の数字と一の位の数字をたすと 8 になり，十の位の数字と一の位の数字を入れかえた数はもとの数より 36 大きくなります。このような自然数を求めなさい。

STEP2 解説を読んで，ポイントをつかもう！

求める自然数の十の位の数字を a，一の位の数字を b とします。
十の位の数字と一の位の数字をたすと8になる条件より，

$a+b=8$ ……①

次に，求める自然数は，$10a+b$
十の位の数字と一の位の数字を入れかえた数は，$10b+a$
十の位の数字と一の位の数字を入れかえた数はもとの数より36大きくなることより，

$10b+a=10a+b+36$ となります。

したがって，$a-b=-4$ ……②
①，②より，$a=2$，$b=6$
以上より，求める自然数は**26**とわかりました。

答 26

解き方のポイント

式をつくる際の整数のおき方に注意しよう

整数に関する問題では，方程式や不等式をつくる際の整数のおき方に注意しましょう。以下のおき方は絶対ではありませんが，参考にして，方程式や不等式がわかりやすくなるように工夫しましょう。

◎連続する3つの整数

$x-1$，x，$x+1$

◎連続する4つの整数

x，$x+1$，$x+2$，$x+3$

◎十の位の数字が a，一の位の数字が b の2桁の自然数 ……(a)

$10a+b$

◎(a)の自然数の十の位の数字と一の位の数字を入れかえた自然数

$10b+a$

特訓問題を解いて，しっかり理解しよう！

特訓問題 1

連続する 3 つの自然数があります。それぞれを 2 乗した数の和が 110 になるとき，3 つの自然数の和を次のうちから選びなさい。

1 15　**2** 18　**3** 21　**4** 24　**5** 27

特訓問題 2

2 桁の自然数があります。十の位の数字と一の位の数字を入れかえた数からもとの数を引くと正になり，かつその結果が 27 の倍数になります。このような自然数は何個ありますか。次のうちから選びなさい。

1 7 個　**2** 8 個　**3** 9 個　**4** 10 個　**5** 11 個

答

特訓問題 3

連続する3つの正の奇数を小さい方から順に a, b, c とします。不等式 $92 \leqq bc - ab \leqq 96$ をみたす a の値を次のうちから選びなさい。

1 15　**2** 17　**3** 19　**4** 21　**5** 23

答

解答・解説

特訓問題 1

連続する3つの自然数を $x-1$, x, $x+1$ とします。それぞれを2乗した数の和が110となるのですから,

$$(x-1)^2 + x^2 + (x+1)^2 = 110$$

と表せます。

$$x^2 - 2x + 1 + x^2 + x^2 + 2x + 1 = 110$$

$$3x^2 = 108$$

$$x^2 = 36$$

$$x = 6$$

したがって，3つの自然数は5, 6, 7となりますから，3つの自然数の和は，$5 + 6 + 7 = 18$　とわかりました。

正解 2

特訓問題 2

2 桁の自然数の十の位の数字を a，一の位の数字を b とします。十の位の数字と一の位の数字を入れかえた数は $10b+a$ ですから，
入れかえた数からもとの数を引いた結果は，

$$(10b+a)-(10a+b)=9(b-a)$$

となります。

これが 27 の倍数になるためには，$b-a$ が 3 の倍数になることが必要です。そこで，$b-a$ が正の 3 の倍数になるような a，b の組を，$a \neq 0$，$b \neq 0$，a，b はともに 1 桁の整数であることに注意して書き出してみると，

$$(a,\ b)=(1,\ 4),\ (1,\ 7),\ (2,\ 5),\ (2,\ 8),\ (3,\ 6),\ (3,\ 9),\ (4,\ 7),\ (5,\ 8),\ (6,\ 9)$$

の 9 通りあります。

したがって，条件をみたす自然数は 9 個あることがわかりました。

正解 3

特訓問題 3

連続する 3 つの奇数を小さい方から順に，$a=x-2$，$b=x$，$c=x+2$ とおきます。与えられた不等式に代入すると，

$$92 \leqq x(x+2)-x(x-2) \leqq 96$$

$$92 \leqq 4x \leqq 96$$

$$23 \leqq x \leqq 24$$

ここで，題意より x は奇数ですから，$x=23$　となります。

したがって，$a=23-2=21$　とわかりました。

正解 4

公約数・公倍数

3つの数の最小公倍数を求める手順に注意しよう！

STEP 1　まずは，例題を解いてみよう！

54，60，90の最大公約数と最小公倍数を求めなさい。

STEP2 解説を読んで，ポイントをつかもう！

最大公約数

最大公約数を求めるには次のようにします。まず，与えられた数のすべてを割り切れる数(公約数)を見つけます。2，3，5，7ぐらいまで調べれば必ず見つかるでしょう。その公約数でまずはすべて割ってみます。下の図の公約数は2を使っています。

2)	54	60	90
	27	30	45

この操作を公約数が1以外になくなるまで繰り返していきます。

2)	54	60	90
3)	27	30	45
	9	10	15

9と10と15ではもう公約数はありませんのでここで終わりです。あとは割った公約数をすべてかければ最大公約数を求めることができます。したがって，最大公約数＝2×3＝**6**　となります。

最小公倍数

最小公倍数を求める手順は最大公約数を求める手順と途中までは同じです。

2)	54	60	90
3)	27	30	45
	9	10	15

9と10と15の3つではもう公約数はありませんので最大公約数を求めるときはここで終わりですが，最小公倍数を求めるときには，最下段の数の**どれか2つにまだ1以外の公約数がある**ときはそれがなくなるまで公約数での割り算を続けていきます。この場合では9と15には公約数3がまだあるので3で割ってみます。ただし，10は割れませんのでそのまま下におろします。この操作を公約数が1以外になくなるまで続けていきます。

2)	54	60	90
3)	27	30	45
3)	9	10	15
5)	3	10	5
	3	**2**	**1**

最下段のどの2つの数にも1以外の公約数がなくなりましたら，割った公約数と最下段に残った数をすべてかければ最小公倍数を求めることができます。したがって，

最小公倍数＝2×3×3×5×3×2×1＝540　となります。

最大公約数も最小公倍数も，式の内容より，図の→を記憶する方が楽だと思います。

答　最大公約数6，最小公倍数540

解き方のポイント

① 最大公約数を求める

公約数(すべての数を割り切れる数)を見つけて，1つずつ数を割っていきます。公約数が1以外になくなるまで続け，最後に割っていった**公約数をすべてかけます**。

例：

3)	30	45	90
5)	10	15	30
↓	2	3	6

30，45，90の最大公約数は，3×5＝15

② 最小公倍数を求める

最大公約数を求めるのと同様に進めますが，最小公倍数を求めるときは最下段の数の公約数(すべての数を割り切れる数)がなくなっても，**どれか2つの数に公約数があるときはまだ公約数での割り算を続けていきます**。その際，割り切れないものはそのままを下の段におろします。最後に割っていった**公約数と最下段の数をすべてかけます**。

例：

3)	30	45	90
5)	10	15	30
3)	2	3	6
2)	2	1	2
	1	1	1 →

30，45，90の最小公倍数は，**3×5×3×2×1×1×1＝90**

STEP3 特訓問題を解いて，しっかり理解しよう！

特訓問題 1

41 を割ると 5 あまり，63 を割ると 3 あまり，98 を割ると 2 あまる正の整数は何個ありますか。次のうちから選びなさい。

1　1 個　　**2**　2 個　　**3**　3 個　　**4**　4 個　　**5**　5 個

答

特訓問題 2

4 で割れば 3 あまり，6 で割れば 5 あまり，10 で割れば 9 あまる数の中で最も小さい自然数はいくつですか。次のうちから選びなさい。

1　19　　**2**　39　　**3**　59　　**4**　79　　**5**　99

答

特訓問題 3

縦 72 cm，横 90 cm の長方形の床に同じ大きさの正方形のタイルを敷き詰めます。できるだけ大きなタイルを用いるとするとタイルの 1 辺を何 cm にしたらよいでしょうか。次のうちから選びなさい。

1 9 cm　**2** 12 cm　**3** 15 cm　**4** 18 cm　**5** 21 cm

答

解答・解説

特訓問題 1

41 を割ると 5 あまることから，この数は 41 からあまりの 5 を引いた 36 の約数であることがわかります。同様に，63 を割ると 3 あまり，98 を割ると 2 あまることから，それぞれからあまりを引いた 60 と 96 の約数でもあることがわかります。

結局，36 と 60 と 96 の公約数が求める数になるわけです。公約数は最大公約数の約数ですから，まず，36，60，96 の最大公約数を求めてみます。

2)	36	60	96
2)	18	30	48
3)	9	15	24
	3	5	8

これより，最大公約数＝ $2 \times 2 \times 3 = 12$ となります。

したがって，公約数(最大公約数の約数)を順に並べてみると，

1，2，3，4，6，12

となりますが，この中の数で割ったとき，5，3，2 のあまりがでるのは，6 と 12 だけです。したがって，2 個あることがわかりました。

正解 2

特訓問題 2

まず，4 で割れば 3 あまる数を順に書き出してみましょう。3，7，11，15，19，……，これらの数に 1 をたすと，すべて 4 の倍数になります。その理由は 4 で割ったあまりが 4 より 1 少ない 3 だからです。6 で割れば 5 あまり，10 で割れば 9 あまることから，同じように**あまりが割った数より 1 少ない**ので，求める数に 1 をたすと必ず 6 の倍数かつ 10 の倍数になるはずです。

結局，求める数に 1 をたすと，4，6，10 の公倍数になることがわかりました。この問題では最も小さい数を求めることから，4，6，10 の**最小公倍数**を求めてみます。

```
2 ) 4   6   10
    ----------
    2   3   5
```

最小公倍数は，$2 \times 2 \times 3 \times 5 = 60$　となります。

したがって，求める数は，$60 - 1 = 59$　とわかりました。

正解 3

特訓問題 3

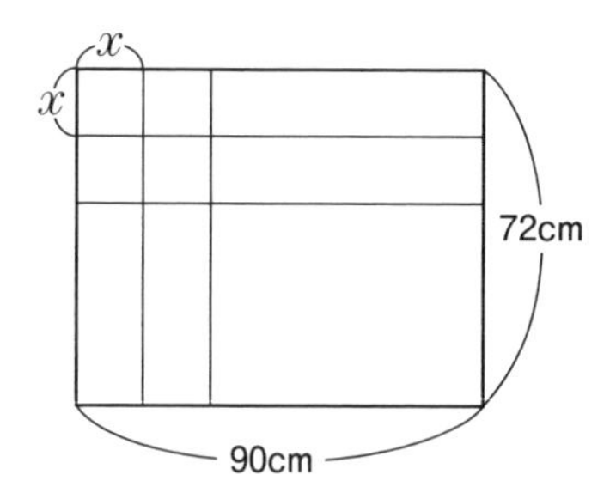

敷き詰める正方形のタイルの 1 辺の長さを x cm とします。長方形の床に敷き詰めるのですから，図からもわかるように x は縦 72 と横 90 の**公約数**でなければなりません。そして，できるだけ大きなタイルを用いるのですから，x を縦 72 と横 90 の最大公約数にすればよいわけです。

```
2 ) 72   90
    -------
3 ) 36   45
    -------
3 ) 12   15
    -------
     4    5
```

最大公約数 $= 2 \times 3 \times 3 = 18$　より，タイル 1 辺の長さは 18 cm とわかりました。

正解 4

数的推理 3

平　均

平均，合計，人数の関係を整理しよう！

STEP1 まずは，例題を解いてみよう！

ある試験を男女合わせて 50 人が受験しました。その結果，全体の平均点は 78 点，男子の平均点は 80 点，女子の平均点は 75 点でした。男子の人数を求めなさい。

STEP2　解説を読んで，ポイントをつかもう！

(平均)×(人数)＝(合計)の関係を用いて方程式をつくりましょう。

まず，男子の人数を x 人とします。男子の平均点は 80 点ですから男子の得点の合計は，$80 \times x = 80x$ 点になります。

次に，女子の人数は $(50 - x)$ 人，女子の平均点は 75 点ですから女子の得点の合計は，

$$75 \times (50 - x) = (3750 - 75x) \text{点}$$

になります。ところで，全体の平均点は 78 点だったのですから，全体の得点合計は，$78 \times 50 = 3900$ 点になります。

したがって，得点合計で式をつくると，

$$\begin{aligned} 80x + (3750 - 75x) &= 3900 \\ 5x &= 150 \\ x &= 30 \end{aligned}$$

以上より，男子の人数は **30 人**とわかりました。

答 30 人

解き方のポイント

平均，合計，人数の関係をまとめよう

平均＝総合計÷人数

が平均の**基本**となる考え方です。ところが，方程式をつくる段階においてはこの式はあまり得策ではありません。式が分数になることが多く，平均は問題の中に与えられていることがほとんどだからです。方程式をつくるには，

総合計＝平均×人数

の形の方が応用範囲が広く，多く用いられます。

平均の問題では合計で式をつくることを常に考えるようにしましょう。

STEP3 特訓問題を解いて，しっかり理解しよう！

特訓問題 1

ある試験において受験者の 30%が合格しました。受験者の平均点は 65 点で，合格者の平均点と不合格者の平均点の差は 20 点でした。合格者の平均点を次のうちから選びなさい。

1 76 点　**2** 77 点　**3** 78 点　**4** 79 点　**5** 80 点

特訓問題 2

ある試験で次のような結果が得られました。

◎男子の平均点は 54 点でした。
◎女子の平均点は 59 点でした。
◎合格者の数は不合格者の数のちょうど 3 分の 1 でした。
◎全受験者の 30%は女子でした。
◎合格者の平均点は，合格者の最低点より 13 点高い。
◎不合格者の平均点は，合格者の平均点より 26 点低い。

このとき，合格者の最低点を次のうちから選びなさい。

1 61 点　**2** 62 点　**3** 63 点　**4** 64 点　**5** 65 点

答

特訓問題 3

A，B，C，D 4 人の 100 点満点の試験の点数について次のことがわかっているとき，D の点数を次のうちから選びなさい。

◎ 4 人の平均点は 91 点でした。
◎ A が最高点でした。
◎ A と B の点数差は 10 点，B と C の点数差は 8 点，C と D の点数差は 6 点でした。

1　86 点　**2**　87 点　**3**　88 点　**4**　89 点　**5**　90 点

答

解答・解説

特訓問題 1

まず，合格者の平均点を x 点，この試験の受験者は y 人とします。受験者の平均点は 65 点ですから，受験者の得点の合計は，**(平均)×(人数)＝(合計)** より，$65y$ 点となります。

次に，合格者は全体の 30％より，$y \times \frac{30}{100} = \frac{3y}{10}$ 人

合格者の平均点は x 点ですから，合格者の得点の合計は，$\frac{3xy}{10}$ 点となります。

不合格者は全体の 70％より，$y \times \frac{70}{100} = \frac{7y}{10}$ 人

不合格者の平均点は，$(x-20)$ 点ですから，不合格者の得点の合計は

$\frac{7y}{10}(x-20)$ 点となります。

したがって，得点の合計で式をつくると，

$$\frac{3xy}{10}+\frac{7y}{10}(x-20)=65y$$

両辺を y で割って，10 倍すると，

$$3x+7x-140=650$$

$$10x=790$$

$$x=79$$

以上より，合格者の平均点は 79 点とわかりました。

正解 4

特訓問題 2

まず，合格者の最低点を x 点，全受験者は y 人とします。

合格者の数は，不合格者の数のちょうど 3 分の 1 ですから，全体の 4 分の 1，つまり，$\frac{y}{4}$ 人いたことがわかります。

合格者の平均点は $(x+13)$ 点ですから，

合格者の得点合計は $\frac{(x+13)y}{4}$ 点となります。

不合格者は全体の 4 分の 3 ですから，$\frac{3y}{4}$ 人いたことがわかります。

不合格者の平均点は，$(x+13)-26=(x-13)$ 点ですから，不合格者の得点合計は，$\frac{3(x-13)y}{4}$ となります。そこで受験者全体の得点合計は，

$$\frac{(x+13)y}{4}+\frac{3(x-13)y}{4}=\frac{(2x-13)y}{2}\ (\text{点}) \quad \cdots\cdots ①$$

となります。

次に，今度は男女で考えていきましょう。男子は，全体の 70％で平均点は 54 点ですから，男子の得点合計は，

$$\frac{70\,y}{100} \times 54 = \frac{189\,y}{5}\,(\text{点})$$

となります。

女子は，全体の 30％で平均点は 59 点ですから，女子の得点合計は，

$$\frac{30\,y}{100} \times 59 = \frac{177\,y}{10}\,(\text{点})$$

となります。

そこで受験者全体の得点合計は，

$$\frac{189\,y}{5} + \frac{177\,y}{10} = \frac{111\,y}{2}\,(\text{点}) \quad \cdots\cdots ②$$

となります。

①＝②より，

$$\frac{(2\,x-13)\,y}{2} = \frac{111\,y}{2}$$

$$2\,x - 13 = 111$$

$$2\,x = 124$$

$$x = 62$$

以上より，合格者の最低点は 62 点とわかりました。

正解　2

特訓問題 3

Aの得点をx点とします。条件よりBは$(x-10)$点とわかります。BとCの得点差は8点ですから，Cは$(x-18)$点か，または$(x-2)$点の2通り考えられます。

CとDの点数差は6点ですから，Dは$(x-24)$点，$(x-12)$点，$(x-8)$点の3通り考えられます(Aは最高点よりDが$(x+4)$点は不適)。ここまでで考えられる4人の得点を整理すると以下のようになります。

	A	B	C	D
ア	x	$x-10$	$x-18$	$x-24$
イ	x	$x-10$	$x-18$	$x-12$
ウ	x	$x-10$	$x-2$	$x-8$

4人の平均点が91点ですから，4人の得点の合計は，$91 \times 4 = 364$点となります。ア，イ，ウのそれぞれについて合計で式をつくると，

アの場合

$$x+(x-10)+(x-18)+(x-24)=364$$
$$4x=416,\ x=104\text{(不適)}$$

イの場合

$$x+(x-10)+(x-18)+(x-12)=364$$
$$4x=404,\ x=101\text{(不適)}$$

ウの場合

$$x+(x-10)+(x-2)+(x-8)=364$$
$$4x=384,\ x=96\text{(適)}$$

以上より，Dの得点は，$96-8=88$点とわかりました。

正解 3

年　齢

親子の年齢をそれぞれ未知数 x を用いて表してみよう！

STEP1　まずは，例題を解いてみよう！

父は 31 歳，娘は 3 歳の親子で，父の年齢が娘の年齢の 5 倍になるのは何年後でしょうか。

STEP2 解説を読んで，ポイントをつかもう！

父の年齢が娘の年齢の5倍になるのはx年後であるとします。
x年後には，親子の年齢は，

父の年齢……（$31+x$）歳
娘の年齢……（$3+x$）歳

となります。
ここで，父の年齢が娘の年齢の5倍となることより，次のような方程式がつくれます。

$$(31+x)=(3+x)\times 5$$

＊方程式をつくるときは，かっこをつけるのを忘れないように！
さあ，この方程式を解いてみましょう。

$$31+x=15+5x$$
$$4x=16$$
$$x=4$$

以上より，父の年齢が娘の年齢の5倍になるのは**4年後**であることがわかりました。

答 4年後

解き方のポイント

方程式を使うととても簡単

年齢に関する問題は，方程式を使うととても簡単に解けます。
方程式をつくるときには，まず未知数をxとおき，xでいろいろな値を表しておくことが大切です。
その際，表した値には**かっこをつけること**を忘れないようにしましょう。
例えば，子供の年齢が（$7+x$）歳のとき，子供の年齢の4倍は，（$7+x$）$\times 4$ですが，$7+x\times 4$としないように注意してください。

STEP3 特訓問題を解いて，しっかり理解しよう！

特訓問題 1

父の年齢は子の年齢より 30 歳多く，今から 7 年前には，父の年齢は子の年齢の 7 倍でした。子の現在の年齢は何歳でしょうか。次のうちから選びなさい。

1 10 歳　**2** 11 歳　**3** 12 歳　**4** 13 歳　**5** 14 歳

特訓問題 2

父の年齢は子の年齢より 30 歳多く，今から 8 年後には，父の年齢と子の年齢の和が 56 歳になります。現在の子の年齢は何歳でしょうか。次のうちから選びなさい。

1 5 歳　**2** 6 歳　**3** 7 歳　**4** 8 歳　**5** 9 歳

特訓問題 3

現在，父は 33 歳，母は 32 歳，長女は 12 歳，長男は 10 歳，二男は 9 歳です。両親の年齢の和が子供たちの年齢の和の 3 倍に等しかったのは今から何年前ですか。次のうちから選びなさい。

1　3 年前　**2**　4 年前　**3**　5 年前　**4**　6 年前　**5**　7 年前

答

解答・解説

特訓問題 1

現在の子の年齢を x 歳とおき，いろいろな値を x で表してみます。

現在の父の年齢……… $(x+30)$ 歳

7 年前の父の年齢…… $(x+30-7)=(x+23)$ 歳

7 年前の子の年齢…… $(x-7)$ 歳

7 年前には，父の年齢は子の年齢の 7 倍だったのですから，次のような方程式がつくれます。

$$(x+23)=(x-7)\times 7$$

あとは，この方程式を解けばよいわけです。

$$x+23=7x-49$$

$$23+49=7x-x$$

$$72=6x$$

$$x=12$$

以上より，現在の子の年齢は 12 歳とわかりました。

正解　3

特訓問題 2

現在の子の年齢を x 歳とおき，8 年後の父と子の年齢を x で表してみます。

現在の父の年齢は，$(x+30)$ 歳ですから，

8 年後の父の年齢……　$(x+30+8)=(x+38)$ 歳

8 年後の子の年齢……　$(x+8)$ 歳

となります。8 年後には，父の年齢と子の年齢の和が 56 歳になることより，次のような方程式がつくれます。

$$(x+38)+(x+8)=56$$

あとは，この方程式を解けばよいわけです。

$$\begin{aligned} 2x+46&=56 \\ 2x&=56-46 \\ 2x&=10 \\ x&=5 \end{aligned}$$

以上より，現在の子の年齢は 5 歳とわかりました。

正解 1

特訓問題 3

今から x 年前の親子の年齢を x で表してみます。

x 年前の父………　$(33-x)$ 歳

x 年前の母………　$(32-x)$ 歳

x 年前の長女……　$(12-x)$ 歳

x 年前の長男……　$(10-x)$ 歳

x 年前の二男……　$(9-x)$ 歳

ここで，両親の年齢の和が子供たちの年齢の和の 3 倍に等しかったことより，次のような方程式がつくれます。

$$(33-x)+(32-x)=(12-x+10-x+9-x)\times 3$$

あとは，この方程式を解けばよいわけです。

$$\begin{aligned} 65-2x&=(31-3x)\times 3 \\ 65-2x&=93-9x \\ 9x-2x&=93-65 \\ 7x&=28 \\ x&=4 \end{aligned}$$

以上より，今から 4 年前だったことがわかりました。

正解 2

数的推理 **5**

割　合

もとの量，比べる量，割合の関係を整理しよう！

STEP 1　まずは，例題を解いてみよう！

ある品物を定価の２割引きで何個か買い，1120円支払いました。もし，同じ品物を定価の３割５分引きで１個多く買うとすれば975円になります。この品物を定価の１割５分引きで４個買うといくらになるでしょうか。

STEP2 解説を読んで，ポイントをつかもう！

この品物１個の定価を x 円とします。２割引きで買った品物の数を y 個とすると，次のような式をつくることができます。

$$x \times \left(1 - \frac{2}{10}\right) \times y = 1120 \quad \cdots\cdots ①$$

また，３割５分引きで買う品物の数は $y + 1$ 個ですから，次のような式をつくることができます。

$$x \times \left(1 - \frac{35}{100}\right) \times (y + 1) = 975 \quad \cdots\cdots ②$$

①より，$xy = 1400$，②より，$xy + x = 1500$
よって，$x = 100$
したがって，この品物を定価の１割５分引きで４個買うと，

$$100 \times \left(1 - \frac{15}{100}\right) \times 4 = \mathbf{340(円)}$$

になります。

答 340円

解き方のポイント

割合に関する基本的な関係をまず理解しましょう。

① 損益は関係を整理しておくこと

損益に関する問題では，以下に示す原価，定価，売値，利益，値引率の関係を整理しておくことが大切です。

売値＝定価×(1 －値引率)
利益＝売り上げ－仕入れ値
売り上げ＝売値×個数
仕入れ値＝原価×個数

② 含まれる食塩の量で式をつくる

食塩水に関する問題では，以下の関係を用いて方程式をつくりましょう。通常は，含まれる食塩の量で式をつくるのがわかりやすいでしょう。

食塩の量＝食塩水の量×濃度
濃度＝食塩の量÷食塩水の量

STEP3 特訓問題を解いて，しっかり理解しよう！

特訓問題 1

ある店でみかんを 600 個仕入れ，1 日目に定価で 500 個売り，2 日目に残りを定価の 2 割引きにして完売したところ，全体として仕入れの 16%の利益が出ました。1 日目に原価の何%増しの定価をつけたのでしょうか。次のうちから選びなさい。

1 16%　**2** 17%　**3** 18%　**4** 19%　**5** 20%

答

特訓問題 2

20%の食塩水 300 g をつくるとき，まちがえて，水 300 g に食塩 60 g を溶かしてしまいました。そこで，できた食塩水を何 g か捨てて，食塩を何 g か加えることにより，20%の食塩水 300 g をつくることにしました。加える食塩は何 g でしょうか。次のうちから選びなさい。

1 10 g　**2** 11 g　**3** 12 g　**4** 13 g　**5** 14 g

答

特訓問題 3

A，B２種類の商品を仕入れ，Aは１個 100 円，Bは１個 90 円で売り出しました。Aはすべて売れ，1500 円の利益がありました。Bは５個売れ残りましたが，Bの売り上げ金額はAの売り上げ金額より 150 円多くなりました。仕入れた個数はBの方がAより 20%多かったとき，商品Aの１個あたりの仕入れ値を次のうちから選びなさい。

1　70 円　**2**　75 円　**3**　80 円　**4**　85 円　**5**　90 円

答

解答・解説

特訓問題 1

みかん１個の原価を a 円，１日目に原価の x%増しの定価をつけたとします。すると，みかん１個の定価は $a \times \left(1+\frac{x}{100}\right)$ 円となるので１日目の売り上げは，

$$a \times \left(1+\frac{x}{100}\right) \times 500 = (500a + 5ax) \text{円}$$

となります。

２日目は定価の２割引きが売値ですから，２日目の売り上げは，

$$a \times \left(1+\frac{x}{100}\right) \times \left(1-\frac{2}{10}\right) \times 100 = \left(80a + \frac{4}{5}ax\right) \text{円}$$

となります。

仕入れ値は，$600a$ 円ですから，利益＝売り上げ－仕入れ値より式をつくると次のようになります。

$$600a \times \frac{16}{100} = (500a + 5ax) + \left(80a + \frac{4}{5}ax\right) - 600a$$

$$96a = \frac{29ax}{5} - 20a$$

両辺を a で割って5倍すると，

$$480 = 29x - 100$$
$$x = 20$$

したがって，20％増しであったことがわかりました。

正解 5

特訓問題2

食塩水を x g捨て，食塩を y g加えることにします。

まず，300 gの食塩水をつくるのですから，次のように重さの関係で式を考えることができます。

$300 + 60 - x + y = 300$ だから，$x - y = 60$ ……①

次に含まれる食塩の量を考えて式をつくると，

$60 - x \times \frac{60}{360} + y = 300 \times \frac{20}{100}$ だから，$-\frac{1}{6}x + y = 0$ ……②

①＋②より，$\frac{5}{6}x = 60$

$$x = 72$$

①へ代入すると，$y = 12$

以上より，加える食塩は12 gとわかりました。

正解 3

特訓問題 3

商品Aを1個x円でy個仕入れたとします。Aはすべて売れ，利益は1500円だったのですから，売り上げ－仕入れ値＝利益より，次のような式を作ることができます。

$100 \times y - x \times y = 1500$ 円だから，$100y - xy = 1500$ ……①

次に，仕入れた個数はBの方がAより20％多かったのですから，Bが売れた個数は，

$$y \times \left(1 + \frac{20}{100}\right) - 5 = \frac{6y}{5} - 5 \text{(個)}$$

ということになります。Bの売り上げ金額はAの売り上げ金額より150円多くなったことより式を作ると，

$$\left(\frac{6y}{5} - 5\right) \times 90 = 100 \times y + 150$$

$$108y - 450 = 100y + 150$$

$$y = 75$$

①に代入して，

$7500 - 75x = 1500$ より，$x = 80$

以上より，商品Aの1個あたりの仕入れ値は80円とわかりました。

正解 3

速さと道のり

道のり，速さ，時間の関係を用いるときはまず単位をそろえよう！

STEP 1 まずは，例題を解いてみよう！

A 君は，家から 2.4 km 離れた駅に向かいましたが，電車の発車時刻まであと 13 分しかありません。歩く速さは毎分 80 m，走る速さは毎分 250 m とすると，電車にちょうど間に合うには何分間走らなければならないでしょうか。

STEP2 解説を読んで，ポイントをつかもう！

道のり＝速さ×時間 の関係を用いて方程式をつくります。
まず，x 分走るとします。

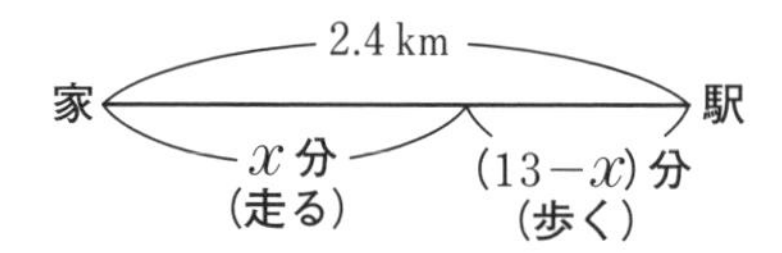

すると，歩いている時間は$(13-x)$分ですから，13 分間で進む道のりを x を用いて式で表してみます。道のり＝速さ×時間 ですから，$250x+80(13-x)$ m となります。これが家から駅までの距離 2.4 km になればよいのですから，

$$250x+80(13-x)=2.4\times1000$$
$$170x=1360$$
$$x=8$$

したがって，**8 分間**走らなければならないことがわかりました。

答 8分間

解き方のポイント

① 関係式を正確に覚える

以下に示す，道のり，速さ，時間の関係式をまず正確に覚えましょう。そして，未知数を x，y とおいて，道のり，速さ，時間の関係を用い，方程式(連立方程式)がつくれるように練習することが必要です。

道のり＝速さ×時間
速さ＝道のり÷時間
時間＝道のり÷速さ

② 単位をそろえることが大切

道のりと速さの問題では**単位をそろえる**ことが大切です。速さで用いられている道のりと時間の単位に統一するのがわかりやすいでしょう。
例えば，速さが**毎分 80 m** と問題にあれば，**道のりの単位は m** に，**時間の単位は分**にそろえることに注意しましょう。

STEP3 特訓問題を解いて，しっかり理解しよう！

特訓問題 1

池の周りを 1 周する道を A 君は毎分 150 m の速さで走って回り，B 君と C 君は自転車に乗って同じ速さで，B 君は A 君と反対向きに，C 君は A 君と同じ向きに回っています。このとき A 君は 5 分ごとに B 君と出会い，20 分ごとに C 君に追い抜かれることがわかりました。池の周りは 1 周何 m でしょうか。次のうちから選びなさい。

1 2000 m　**2** 2100 m　**3** 2200 m　**4** 2300 m　**5** 2400 m

答

特訓問題 2

一定の速さで走っている列車が，長さ 520 m のトンネルの中に最後尾が入ってから先頭が出始めるまで 20 秒かかり，長さ 120 m の鉄橋を先頭が渡り始めてから最後尾が渡り終わるまでに 12 秒かかりました。この列車の長さは何 m でしょうか。次のうちから選びなさい。

1 100 m　**2** 110 m　**3** 120 m　**4** 130 m　**5** 140 m

答

特訓問題 3

流れの速さが毎分 40 m の川を，上流の A 地点から下流の B 地点まで下るのに，はじめに 4 分間ボートをこぎ続け，次の 1 分間休むという方法を繰り返しながら下ると13 分かかり，はじめに 3 分間ボートをこぎ続け，次の 2 分間休むという方法を繰り返しながら下ると 16 分かかった。ボートをこいでこの川を下っているときのボートの速さを次のうちから選びなさい。

1 毎分 130 m　**2** 毎分 140 m　**3** 毎分 150 m　**4** 毎分 160 m
5 毎分 170 m

解答・解説

特訓問題 1

池の周りを x m，自転車の速さを毎分 y m とします。A 君は 5 分おきに B 君と出会うのですから，5 分間に 2 人が走る道のりの合計が池の周り x m と等しくなります。

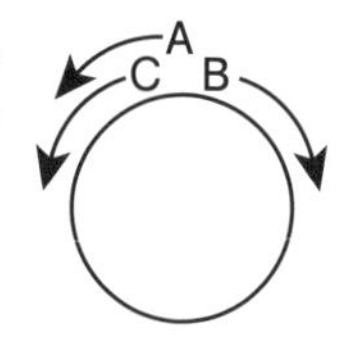

したがって，$150 \times 5 + y \times 5 = x$ ……①

次に，A 君は C 君に 20 分ごとに追い抜かれるのですから，20 分間に 2 人の走った道のりの差が池の周り x m と等しくなります。

したがって，$y \times 20 - 150 \times 20 = x$ ……②

①，②より，$750 + 5y = 20y - 3000$ から，
$y = 250$
①へ代入して，$x = 2000$
以上より，池の周りは 1 周 2000 m とわかりました。

正解 1

特訓問題2

列車の長さをx m，速度を毎秒y mとします。トンネルの中に列車の最後尾が入ってから，先頭が出始めるまでに列車が進む道のりは，トンネルの長さから列車の長さを引いたものと等しくなります。

また，列車の先頭が鉄橋を渡り始めてから最後尾が渡り終わるまでに列車が進む道のりは，鉄橋の長さに列車の長さをたしたものと等しくなります。

したがって，次のような方程式をつくることができます。

$$y \times 20 = 520 - x \quad \cdots\cdots ①$$
$$y \times 12 = 120 + x \quad \cdots\cdots ②$$

①＋②より，$32y = 640$

$y = 20$

①へ代入して，$x = 120$

以上より，列車の長さは120 mとわかりました。

正解　3

特訓問題3

ボートをこいで川を下っているときのボートの速さを毎分x mとします。4分間こいで1分休む方法では，5分間で$(4x + 40)$ m下るから13分間で下る距離は，

$$\{(4x + 40) \times 2 + 3x\} \text{m} \quad \cdots\cdots ①$$

となります。3分間こいで2分休む方法では，5分間で$(3x + 80)$ m下るから，16分間で下る距離は，

$$\{(3x + 80) \times 3 + x\} \text{m} \quad \cdots\cdots ②$$

となります。①，②が等しいことから，

$$\{(4x + 40) \times 2 + 3x\} = \{(3x + 80) \times 3 + x\}$$

$$11x + 80 = 10x + 240$$

$$x = 160$$

以上より，ボートをこいで川を下るときの速さは毎分160 mとわかりました。

正解　4

数的推理

7

水槽算

給水率(排水率)を用いるときは，時間の単位に注意しよう！

STEP1 まずは，例題を解いてみよう！

ある水槽を満たすのにＡ管では４時間かかり，Ｂ管では６時間かかります。それでは，両方同時に使えば何時間何分で水槽を満たすことができるでしょうか。

STEP2 解説を読んで，ポイントをつかもう！

いくつかの管から給排水して，水槽が満ちるまでの時間を求めさせるいわゆる水槽算を解くには，個々の管の能力を示す給水率(排水率)という数字を理解することが大切です。

給水率……水槽全体の量を１として，その管のみで単位時間に全体
(排水率)　のどれだけ給水(排水)できるかを示した数字。

では，この給水率を用いてこの問題を考えてみましょう。

A管で水槽を満たすのに4時間かかるのですから，A管のみで1時間では全体の$\frac{1}{4}$の給水ができるわけです。この$\frac{1}{4}$をA管の給水率とよびます。B管のみでは水槽を満たすのに6時間かかるのですから，B管の給水率は$\frac{1}{6}$となります。

そこで，A，B両管合わせて使ったときの給水率は，$\frac{1}{4}+\frac{1}{6}=\frac{5}{12}$となることから，両方同時に使うと1時間に全体の$\frac{5}{12}$だけ水を入れることができることがわかりました。

ここで水槽を満たすのにかかる時間をx時間とおきます。給水率$\frac{5}{12}$でx時間水を入れたら全体量1になったと考えると，

$$\frac{5}{12}\times x=1$$

したがって，$x=1\div\frac{5}{12}=\frac{12}{5}=2\frac{2}{5}=2\frac{24}{60}$より，**2時間24分**で水槽を満たすことができることがわかりました。

答　2時間24分

解き方のポイント

① 管の給水率(排水率)を求める

水槽に水を満たしたり，水槽から水を出したりする時間を問う水槽算という問題では，水を出し入れするそれぞれの管の給水率(排水率)を求めることがまず必要です。

給水率(排水率)
　水槽全体の量を 1 として，その管のみで単位時間に全体のどれだけ給(排)水ができるかを示した数字。

② 給水率と排水率

給水率とは単位時間にその管が入れる水の量ですから，**給水率× x 時間＝1(全体量)を満たす x を求めれば水槽を満たす時間がわかるわけです。**
排水率とは単位時間にその管が排出できる水の量ですから，**排水率× x 時間＝貯水量(その時点での)を満たす x を求めれば水槽を空にする時間がわかるわけです。**

STEP3 特訓問題を解いて，しっかり理解しよう！

特訓問題 1

ある水槽に水を入れる管が 2 本あり，水槽を満たすのに A 管だと 2 時間，B 管だと 4 時間かかります。また，水槽には水を出す管も 2 本あり，いっぱい入っている水を出すのに C 管だと 3 時間，D 管だと 6 時間かかります。

(1)空の水槽で，A 管と B 管から水を入れ，同時に C 管と D 管で水を出すとすれば，この水槽がいっぱいになるにはどれだけの時間がかかるでしょうか。次のうちから選びなさい。

1 1 時間　**2** 2 時間　**3** 3 時間　**4** 4 時間　**5** 5 時間

答

(2)水槽にいっぱいの水を C 管で 2 時間流し出した後 C 管は閉め，D 管で残りを出して空にするには，全部でどれだけの時間がかかるでしょうか。次のうちから選びなさい。

1 1 時間　**2** 2 時間　**3** 3 時間　**4** 4 時間　**5** 5 時間

答

特訓問題 2

ある水槽には給水管と排水管があり，給水管では 5 時間で水槽を満たすことができ，排水管では満タンの水を 10 時間で排水することができます。この水槽に 60%の水を入れる予定でしたが，4 時間も給水してしまって水が入り過ぎました。これを予定のように 60%の水量にしたいときに排水に要する時間を次のうちから選びなさい。

1　1 時間　**2**　2 時間　**3**　3 時間　**4**　4 時間　**5**　5 時間

答

特訓問題 3

貯水タンクに水を満たすときに，A，B 2 つの管を使うと 15 時間かかり，A だけ使うと 20 時間かかります。いま，A，B 両方を使って水を入れ始めたところ途中で A から水が出なくなりました。その後は B だけで水を入れ続けると空の状態から満水になるまでに 27 時間かかりました。A，B 両方使っていた時間を次のうちから選びなさい。

1　9 時間　**2**　10 時間　**3**　11 時間　**4**　12 時間
5　13 時間

答

解答・解説

特訓問題 1

(1) A管，B管の給水率はそれぞれ $\frac{1}{2}$，$\frac{1}{4}$，C管，D管の排水率はそれぞれ $\frac{1}{3}$，$\frac{1}{6}$ ですから，A，B，C，D 4管を合わせた給水率は，

$$\frac{1}{2}+\frac{1}{4}-\frac{1}{3}-\frac{1}{6}=\frac{1}{4}$$

となります。
水槽がいっぱいになるまでの時間を x 時間とすると，

$$\frac{1}{4}\times x=1,\ x=1\div\frac{1}{4}=4$$

より，いっぱいになるまでの時間は4時間とわかりました。

正解　4

(2) C管のみで水槽を空にするのに3時間かかるのですから，C管の排水率は，$\frac{1}{3}$です。まず，C管で2時間排水した量は $\frac{1}{3}\times 2=\frac{2}{3}$ですから残っている水の量は，$\frac{1}{3}$となります。D管のみで水槽を空にするのには6時間かかるのですから，D管の排水率は $\frac{1}{6}$です。
ここでD管で残りの水を空にするのに y 時間かかるとすると，

$$\frac{1}{6}\times y=\frac{1}{3},\ y=\frac{1}{3}\div\frac{1}{6}=2$$

より，D管で残りの水を排水するのに2時間かかることがわかりました。
したがって，C管での2時間と合わせて全部で4時間かかることになります。

正解　4

特訓問題 2

給水管の給水率は $\frac{1}{5}$ ですから，この給水管で 4 時間給水すると全体の $\frac{4}{5}$ だけ水が入ります。予定は 60%，つまり $\frac{3}{5}$ ですからちょうど $\frac{1}{5}$ だけ余分に入っています。この分を排水管で排出すればよいわけです。排水管の排水率は $\frac{1}{10}$ ですから，この排水管で全体の $\frac{1}{5}$ を排水するのに x 時間かかるとすると，

$$\frac{1}{10} \times x = \frac{1}{5}$$

$$x = \frac{1}{5} \div \frac{1}{10} = 2$$

より，排水するのには 2 時間かかることがわかりました。

正解　2

特訓問題 3

A 管の給水率は $\frac{1}{20}$，(A + B) 管の給水率は $\frac{1}{15}$ より，B 管の給水率は，$\frac{1}{15} - \frac{1}{20} = \frac{1}{60}$ となります。

いま，A，B 両方使っていた時間を x 時間とすると，B だけ使っていた時間は $(27 - x)$ 時間ですから，

$$\frac{1}{15}x + \frac{1}{60}(27 - x) = 1$$

$$4x + (27 - x) = 60$$

$$3x = 33$$

$$x = 11$$

したがって，A，B 両方使っていた時間は，11 時間とわかりました。

正解　3

数的推理 8

不等式

不等式を解くときは，未知数の条件(整数など)に注意しよう。

STEP1 まずは，例題を解いてみよう！

1本150円のボールペンと1本60円の鉛筆を合わせて12本買い，代金を1500円以下にしたいと思います。ボールペンをできるだけたくさん買うとすれば，ボールペンは何本買えるでしょうか。

STEP2 解説を読んで，ポイントをつかもう！

ボールペンの本数を x 本とします。鉛筆の本数は $(12-x)$ 本ですから，代金を計算すると，

$$150\times x+60\times(12-x)=(90x+720)\text{円}$$

となります。代金は 1500 円以下という条件から不等式をつくると，

$$(90x+720)\leqq 1500$$

となります。これを解くと，

$$90x\leqq 780$$
$$x\leqq 8.66\cdots$$

以上より，ボールペンの本数 x の最大値は 8 となります。
したがって，ボールペンは**８本**買えることがわかりました。

答 ８本

不等式を解く２つのポイント

不等式を解くには，方程式と同じように式を変形し，未知数 x の範囲を不等号で定めればよいのですが，以下の２つのことに注意しましょう。

◎不等式の両辺に負の数をかけたり，両辺を負の数で割ったりしたときは不等号の向きが反対になる。

◎文章題における未知数は整数の場合が多いので，不等式を解いたらその範囲内の整数を考えるようにする。

STEP3 特訓問題を解いて，しっかり理解しよう！

特訓問題 1

ある学校で文集を作ることにしました。印刷にかかる費用は，A 社では 50 冊までは 1 冊 2000 円で，50 冊をこえた分については 1 冊あたり 1600 円です。また，B 社では冊数にかかわらず常に 1 冊あたり 1800 円です。50 冊以上印刷する場合，A 社の方が B 社より費用が安くなるのは，少なくとも何冊印刷するときでしょうか。次のうちから選びなさい。

1 100 冊　**2** 101 冊　**3** 102 冊　**4** 103 冊　**5** 104 冊

特訓問題 2

ある展覧会の入場料は，30 人以上 60 人未満の団体に対しては 2 割 5 分引きですが，60 人以上の団体に対しては 3 割引きとなります。このとき，30 人以上 60 人未満の団体でも，60 人の団体として入場料を払った方が，1 人あたりの料金が安くなるのは何人以上のときでしょうか。次のうちから選びなさい。

1 54 人以上　**2** 55 人以上　**3** 56 人以上　**4** 57 人以上
5 58 人以上

特訓問題 3

いくつかの品物とそれを入れる箱が何個かあります。1箱に15個ずつ入れるとちょうど5箱分の品物が余ります。また，1箱に18個ずつ入れると，空の箱が3箱でき，最後の箱の中の品物の数は5個以下になります。この品物は何個あるでしょうか。次のうちから選びなさい。

1 791個　**2** 792個　**3** 793個　**4** 794個　**5** 795個

答

解答・解説

特訓問題 1

印刷する冊数をx冊$(50 \leqq x)$とします。

まず，A社のときの費用を計算してみると，

$$2000 \times 50 + 1600 \times (x - 50) = (20000 + 1600x)\text{円}$$

となります。

次に，B社のときの費用を計算してみると，

$$1800 \times x = 1800x\text{円}$$

となります。A社の方がB社より安くなる場合を考えるのですから，次のような不等式がつくれます。

$$20000 + 1600x < 1800x$$
$$x > 100$$

以上より，少なくとも101冊印刷するときとわかりました。

正解 2

特訓問題 2

まず，団体の人数を x 人，1 人あたりの入場料を a 円と定めます。30 人以上 60 人未満の団体ですから，入場料を計算すると，

$$a \times x \times \left(1 - \frac{25}{100}\right) = \frac{3ax}{4} \text{円}$$

となります。ここで，60 人の団体としたときの入場料を計算すると，

$$a \times 60 \times \left(1 - \frac{30}{100}\right) = 42a \text{円}$$

となりますので，次の不等式を解けばよいことがわかります。

$$\frac{3ax}{4} > 42a$$

$a > 0$ より，両辺を a で割って解くと，

$$x > 56$$

したがって，57 人以上とわかりました。

正解 4

特訓問題 3

品物の数を x 個，箱の数を y 箱とします。

1 箱に 15 個ずつ入れるとちょうど 5 箱分の品物が余るのですから，

$x = 15 \times y + 15 \times 5$ より，$x = 15y + 75$ ……①

1 箱に 18 個ずつ入れると，空の箱が 3 箱でき，最後の箱の中の品物の数は 5 個以下になることから，

$1 \leqq x - 18 \times (y - 4) \leqq 5$ ……②

②に①を代入すると，

$$1 \leqq 15y + 75 - 18(y - 4) \leqq 5$$
$$1 \leqq -3y + 147 \leqq 5$$
$$\frac{142}{3} \leqq y \leqq \frac{146}{3}$$
$$47\frac{1}{3} \leqq y \leqq 48\frac{2}{3}$$

ここで，y は整数ですから，$y = 48$

①へ代入すると，$x = 795$

したがって，品物は 795 個あることがわかりました。

正解 5

数的推理
9

順　列

順列の記号($_n\mathrm{P}_r$)とその計算方法に慣れよう！

STEP 1　まずは，例題を解いてみよう！

【例題 1】
A，B，C，D，Eの５個から異なる３個を選んで並べる並べ方は何通りあるでしょうか。

【例題 2】
男子３人，女子３人を１列に並べるとき，両端が男子であるような並び方は何通りありますか。

解説を読んで，ポイントをつかもう！

【例題 1】

1番目には，A，B，C，D，Eの中のいずれかが並びますので，選び方は5通りになります。2番目の選び方は，1番目に選ばれたもの以外ですので4通りとなります。最後の3番目には，残りの3つから選ぶことになりますから，選び方は3通りになります。全体では，各数字の選び方の1つずつに対して他の数字の選び方をそれぞれ考えることができるので，

$5 \times 4 \times 3 =$ **60(通り)**となるわけです。

このように，いくつかのものから何個かとり出して並べたものを**順列**といいます。この問題では，異なる5個のものから3個とる順列の総数を考えているわけです。

ここで，順列の総数の記号と計算の仕方を覚えましょう。

異なるn個のものからr個とり並べる順列の総数を${}_n\mathrm{P}_r$で表します。そして，${}_n\mathrm{P}_r$は次のような計算式になります。

$${}_n\mathrm{P}_r = \overbrace{\boldsymbol{n} \times (\boldsymbol{n}-1) \times (\boldsymbol{n}-2) \times (\boldsymbol{n}-3) \times \cdots\cdots \times (\boldsymbol{n}-\boldsymbol{r}+1)}^{r\text{個}}$$

(nから1ずつ小さくなるr個の整数のかけ算)

この記号と計算式を使って先ほどの問題を考えてみます。異なる5個のものから3個とり並べる順列ですから，

${}_5\mathrm{P}_3 = 5 \times 4 \times 3 =$ **60** となります。

答 60通り

【例題 2】

一般に，順列の問題にはいろいろな条件がついていることが多く，その条件に適した場合をどう計算するかがポイントになります。より厳しい条件がついているところから並べていくのがわかりやすいでしょう。

まず，3 人の男子から 2 人を選んで両端に並べる順列の総数は，

$_3P_2 = 3 \times 2 = 6$(通り)となります。

間は，残っている男子 1 人と女子 3 人の合わせて 4 人の順列ですので，

$_4P_4 = 4 \times 3 \times 2 \times 1 = 24$(通り)となります。

したがって，両端が男子である並び方は，

$6 \times 24 =$ **144(通り)**とわかりました。

答 144 通り

解き方のポイント

① 異なる n 個のものから r 個選び並べる順列を $_nP_r$ と書きます

② $_nP_r$ は次のように計算します

$$_nP_r = \overbrace{n \times (n-1) \times (n-2) \times (n-3) \times \cdots\cdots \times (n-r+1)}^{r\text{個}}$$

(n から 1 ずつ小さくなる r 個の整数のかけ算)

③ 厳しい条件がついているところから並べていく

順列の問題には**いろいろな条件**がついていることが多く，その条件に適した場合の数をどう計算するかがポイントになります。一般的には，**厳しい条件がついているところから並べていく**のがわかりやすいでしょう。うまく場合分けをすると，とても考えやすくなりますので問題をよく読んで工夫してみましょう。

STEP3 特訓問題を解いて，しっかり理解しよう！

特訓問題 1

0，1，2，3，4，5から異なる4個の数字を選んで4桁の整数をつくるとき，偶数はいくつできますか。次のうちから選びなさい。

1 152個　**2** 154個　**3** 156個　**4** 158個　**5** 160個

特訓問題 2

1，2，3，4，5，6から異なる4個の数字を選んで4桁の整数をつくるとき，2300以上の数はいくつできますか。次のうちから選びなさい。

1 282個　**2** 284個　**3** 286個　**4** 288個　**5** 290個

答

特訓問題 3

男子４人，女子３人を１列に並べるとき，３人の女子が隣り合うような並び方は何通りありますか。次のうちから選びなさい。

1 720 通り　**2** 740 通り　**3** 760 通り　**4** 780 通り
5 800 通り

答

解答・解説

特訓問題 1

①一の位が０のとき

4 桁の数は □□□ 0 となりますが この 3 つの四角には 1 から 5 までの 5 個の数から何を選んで並べても必ず 4 桁の偶数ができます。

したがって，$_5P_3 = 5 \times 4 \times 3 = 60$(個)となります。

②一の位が２または４のとき

4 桁の数 □□□□ の中でまず一の位の数から選んでいきます。2 または 4 のときですから，選び方は 2 通りです。次は千の位の数ですが，一の位で選ばれた数字(2 または 4) 以外の 5 個のうち 0 を除いた 4 通り考えられます。百の位，十の位の数の選び方は，それぞれ残りの 4 通り，3 通りとなります。したがって，

(千)　(百)　(十)　(一)
$4 \times 4 \times 3 \times 2 = 96$(個)となります。

これより求める 4 桁の偶数は，
$60 + 96 = 156$(個)できることがわかりました。

正解 3

特訓問題 2

まず，千の位の数が 3 以上のときは必ず 2300 以上になります。このときは，千の位の数字の選び方は 3 から 6 までの 4 通り，残りの 3 つの数の順列の総数は $_5P_3$ より，

$$4 \times {_5P_3} = 4 \times 5 \times 4 \times 3 = 240$$(個)できます。

次に，千の位が 2 のときは，百の位が 3 以上なら 2300 以上になるので，百の位の数字の選び方は 3 から 6 までの 4 通り，残りの 2 つの数の順列の総数は $_4P_2$ より，

(千)　(百)　(十，一)
$$1 \times 4 \times {_4P_2} = 1 \times 4 \times 4 \times 3 = 48$$(個)できます。

したがって，240 + 48 = 288(個)できることがわかりました。

正解 4

特訓問題 3

女子が離れないように 3 人をセットにして，男子 4 人と女子セット 1 組の計 5 個の順列と考えます。この順列の総数は $_5P_5$ より，

$$_5P_5 = 5 \times 4 \times 3 \times 2 \times 1 = 120$$(通り)

あります。この 120 通りの順列の 1 つずつに対して，3 人の女子セットの中の並べ替えが $_3P_3$ 通りずつ考えられます。

したがって，求める並べ方の総数は，

$$120 \times {_3P_3} = 120 \times 3 \times 2 \times 1 = 720$$(通り)とわかりました。

正解 1

組合せ

組合せと順列の考え方の違いを確認しよう！

STEP1　まずは，例題を解いてみよう！

【例題 1】
異なる５個のもの A，B，C，D，E から３個とる組合せは何通りあるでしょうか。

【例題 2】
５人の男子と６人の女子の中から４人を選ぶとき，男子も女子も含まれる組は何組できますか。

STEP2　解説を読んで，ポイントをつかもう！

【例題 1】

まず，異なる5個のもの A，B，C，D，E から3個とって作る順列の数を考えてみましょう。5個から3個とる順列ですから，

$_5P_3 = 5 \times 4 \times 3 = 60$(通り)となります。

これらを具体的に書き出してみます。

＊(ABC，ACB，BAC，BCA，CAB，CBA)

＊(ABD，ADB，BAD，BDA，DAB，DBA)

＊(ABE，AEB，BAE，BEA，EAB，EBA)

⋮　　　　⋮

上の表を，組合せと思って見ると，＊のカッコの中は組合せではすべて同じものとみなされるので，カッコの中の6個の順列は組合せでは1つと数えられます。つまり，組合せの数は順列の数の6分の1しかないわけです。

この場合では選んだのが3個だったので，その順列 $_3P_3 = 3 \times 2 \times 1 = 6$ 個ずつ順列の中に組合せとしてみると同じものが存在していたことになります。

以上より，異なる5個のものから3個とる組合せは，
(異なる5個のものから3個選んでつくる順列)÷(3個の順列)となり，

$_5P_3 \div {_3P_3} = (5 \times 4 \times 3) \div (3 \times 2 \times 1) = 10$

と計算で出せるわけです。

この考え方を使い，異なる n 個のものから r 個とる組合せを計算する式をつくってみましょう。

異なる n 個のものから r 個とる組合せは，
(異なる n 個のものから r 個選んでつくる順列)÷(r 個の順列)より，

$_nP_r \div {_rP_r} = \{n \times (n-1) \times \cdots\cdots \times (n-r+1)\} \div \{r \times (r-1) \times \cdots\cdots 2 \times 1\}$

となります。

そして，この結果をこれから $_nC_r$ と書くことにします。

●異なる n 個のものから r 個とる組合せ ${}_nC_r$

$${}_nC_r=\frac{n\times(n-1)\times(n-2)\ \cdots\cdots\times(n-r+1)}{r\times(r-1)\times\cdots\cdots\times3\times2\times1}$$

←n から連続して r 個かける
←r から 1 までかける

それでは，組合せを計算する式 ${}_nC_r$ で，例題 1 を解いてみます。異なる 5 個のものから 3 個とる組合せですから，

$${}_5C_3=\frac{5\times4\times3}{3\times2\times1}=\mathbf{10}\textbf{(通り)}$$

←5 から連続して 3 個かける
←3 から 1 までかける

となります。

答 10通り

【例題 2】

●条件に適さない場合の数の計算

男子も女子も必ず含まれるという**条件の反対**は，すべて男子，またはすべて女子ということになります。このように，問題の条件に適さない場合の数を計算して，すべての場合の数から引くほうが速く答えが出せる問題も数多くあるので注意しましょう。

まず，条件を考えないで 11 人から 4 人を選ぶ場合の数を計算します。

$${}_{11}C_4=\frac{11\times10\times9\times8}{4\times3\times2\times1}=330\text{(通り)}$$

次に，5 人の男子から 4 人とも選ばれる場合の数を計算します。

$${}_5C_4=\frac{5\times4\times3\times2}{4\times3\times2\times1}=5\text{(通り)}$$

次に，6 人の女子から 4 人とも選ばれる場合の数を計算します。

$${}_6C_4=\frac{6\times5\times4\times3}{4\times3\times2\times1}=15\text{(通り)}$$

4 人を選ぶ場合の数全体から，すべて男子またはすべて女子が選ばれる場合の数を引くと，必ず男子と女子が含まれる場合の数をだすことができるわけです。したがって，求める場合の数は，

$330-(5+15)=$ **310(組)**とわかりました。

答 310組

解き方のポイント

① 異なる n 個のものから r 個とる組合せを ${}_n\mathrm{C}_r$ と書きます

② ${}_n\mathrm{C}_r$ は次のように計算します

$$ {}_n\mathrm{C}_r = \frac{n \times (n-1) \times (n-2) \cdots\cdots \times (n-r+1)}{r \times (r-1) \times \cdots\cdots \times 3 \times 2 \times 1} $$

←n から連続して r 個かける

←r から1までかける

③ 条件に適す場合と適さない場合の計算

組合せでは問題に**いろいろな条件**がついています。ふつうは条件に適する場合を考えるのですが，中には条件に適さない場合の数を計算し，すべての場合の数から引くほうが楽に答えをだせることも多くあります。数多く問題を解き，どのように考えたら速く正解にたどりつけるか見抜けるようになりましょう。

STEP3 特訓問題を解いて，しっかり理解しよう！

特訓問題 1

男子５人，女子４人の中から４人の委員を選ぶとき，女子が少なくとも１人入っている選び方は何通りありますか。次のうちから選びなさい。

1 115通り　**2** 118通り　**3** 121通り　**4** 124通り
5 127通り

答

特訓問題 2

図のように５本の平行線と他の３本の平行線が交わっています。これらの直線によっていくつの平行四辺形ができるでしょうか。次のうちから選びなさい。

1　24 個　**2**　26 個　**3**　28 個　**4**　30 個　**5**　32 個

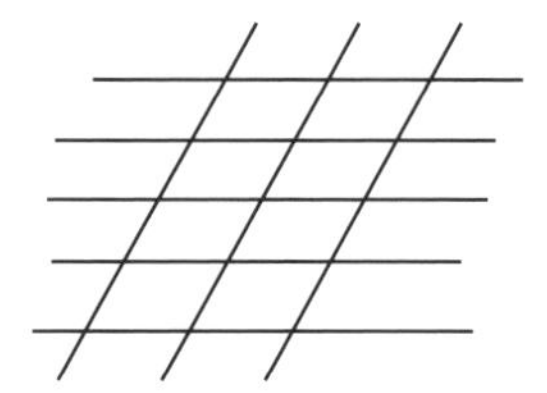

答

特訓問題 3

１から９までの数字から異なる２個の数字を選ぶとき，その２つの数字の和が偶数になる場合は何通りありますか。次のうちから選びなさい。

1　16 通り　**2**　18 通り　**3**　20 通り　**4**　22 通り
5　24 通り

答

解答・解説

特訓問題 1

女子が少なくとも１人入っている選び方を直接考えるのは大変です。

この問題では条件の反対を考えてみましょう。少なくとも１人が女子の反対はすべて男子ですから，４人を選ぶ選び方の総数からすべて男子が選ばれる場合の数を引けばよいわけです。

$$ {}_9C_4 - {}_5C_4 = \frac{9 \times 8 \times 7 \times 6}{4 \times 3 \times 2 \times 1} - \frac{5 \times 4 \times 3 \times 2}{4 \times 3 \times 2 \times 1} = 121 $$

したがって，求める選び方は 121 通りとわかりました。

正解　3

特訓問題 2

下図のように，５本の平行線の中の２本の組と３本の平行線の中の２本の組が決まると，平行四辺形が１つ定まります。

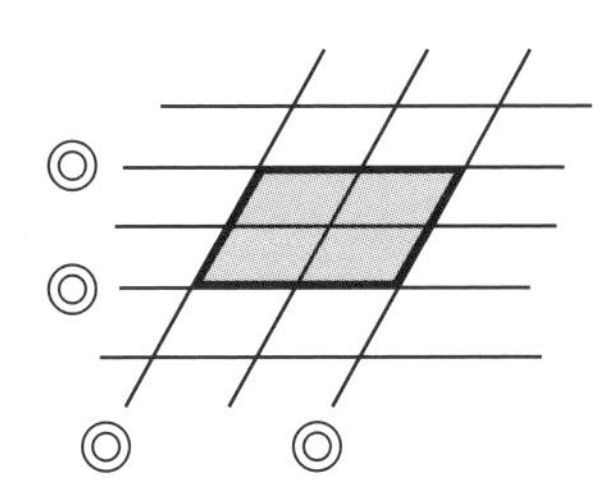

５本から２本選ぶ組合せは，${}_5C_2 = \frac{5 \times 4}{2 \times 1} = 10$（通り）

３本から２本選ぶ組合せは，${}_3C_2 = \frac{3 \times 2}{2 \times 1} = 3$（通り）

したがって，できる平行四辺形の数は，$10 \times 3 = 30$ 個とわかりました。

正解　4

特訓問題 3

2つの数の和が偶数になるのは，その2つの数が偶数同士か奇数同士のどちらかしかありません。したがって，奇数1，3，5，7，9から2個選ぶか，偶数2，4，6，8から2個選べばよいわけです。

これより，求める場合の数は，

$${}_5C_2 + {}_4C_2 = \frac{5 \times 4}{2 \times 1} + \frac{4 \times 3}{2 \times 1} = 16\text{(通り)とわかりました。}$$

正解 1

数的推理 11

経路の数

最短経路の数は，組合せの
考え方を用いて計算しよう！

まずは，例題を解いてみよう！

【例題 1】 下図において，A から B に至る最短経路は何通りありますか。

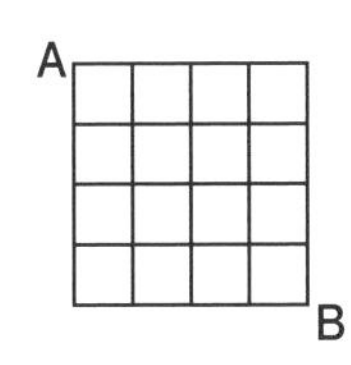

【例題 2】 下図において，A から B に至る最短経路は何通りありますか。

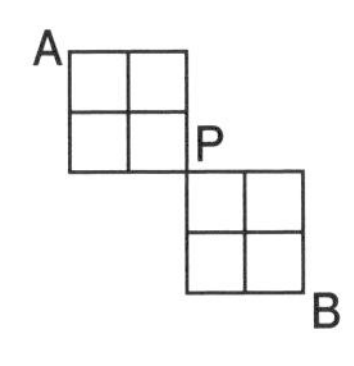

STEP2 解説を読んで，ポイントをつかもう！

【例題 1】

Aから B まで行くには，右に 4 回，下に 4 回移動する必要があります。それでは，この 8 回の移動の仕方を書き出してみましょう。

右右右右下下下下，右下右下右下右下，右下下右右下下右，……

このようにすべての場合を書き出す方法では，数が多くなると大変ですし，また数え落とすミスをしかねません。そこで，計算で答えを求める方法を考えてみましょう。

A から右に 4 回，下に 4 回，合わせて 8 回移動すると B に到達します。そして，8 回の移動のうち，何回目に右方向へいくのかで最短経路が決定されるわけです。つまり，8 回の移動から右方向 4 回を選ぶ場合の数

$$ {}_8C_4 = \frac{8 \times 7 \times 6 \times 5}{4 \times 3 \times 2 \times 1} = 70 $$

が A から B への最短経路の数を表しているのです。

したがって，**70 通り**になります。

答 70 通り

【例題 2】

まず，図において，A から P までの最短経路を考えましょう。A から P までは右に 2 回，下に 2 回，合計 4 回移動すると到達するので，

$ {}_4C_2 = \frac{4 \times 3}{2 \times 1} = 6 $（通り）になります。

そして，P から B までも同様に考えて 6 通りになります。いま，A から P までの 6 通りの 1 つずつに対して，P から B までの 6 通りが考えられますので，A から B までの最短経路の数は，

$6 \times 6 =$ **36（通り）**となります。

答 36 通り

解き方のポイント

場合の数を利用して最短経路の数を求める方法

まず初めに，縦と横に何回ずつ移動したら目的地点に到達するのかを数えてみましょう。次に，縦の移動と横の移動の回数をたすと最短の経路で目的地に到達するために必要な移動回数 n がわかります。この n 回の移動のうち，どの回を横の移動に使うのかによってすべて違う経路になりますので，横の移動回数を r 回とすると，結局，異なる n 個から r 個とる組合せの数こそが最短経路の数となるわけです。

●異なる n 個のものから r 個とる組合せ ${}_nC_r$

$$ {}_nC_r = \frac{n \times (n-1) \times (n-2) \cdots\cdots \times (n-r+1)}{r \times (r-1) \times \cdots\cdots \times 3 \times 2 \times 1} $$

←n から連続して r 個かける
←r から 1 までかける

STEP3 特訓問題を解いて，しっかり理解しよう！

特訓問題 1

下図において，A から B に至る最短経路は何通りありますか。次のうちから選びなさい。ただし，2 つの地点 P，Q は必ず通ることとします。

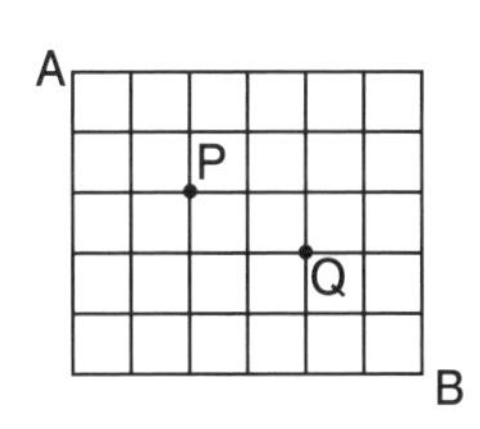

1　102 通り　**2**　104 通り　**3**　106 通り　**4**　108 通り
5　110 通り

特訓問題 2

下図において，A から B に至る最短経路は何通りありますか。次のうちから選びなさい。ただし，×の所は通行禁止とします。

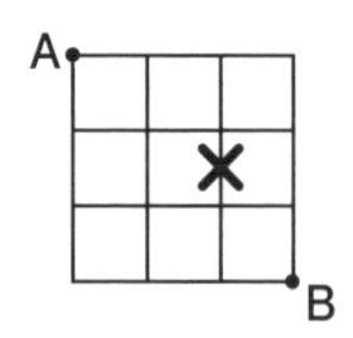

1 12 通り　**2** 14 通り　**3** 16 通り　**4** 18 通り
5 20 通り

特訓問題 3

下図において，A から B に至る最短経路は何通りありますか。次のうちから選びなさい。

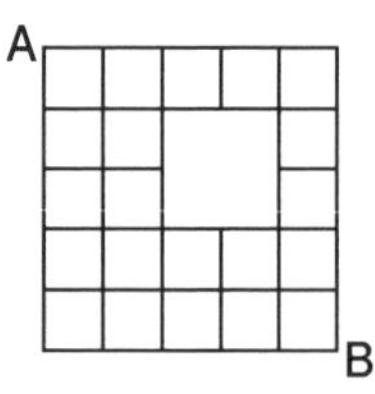

1 148 通り　**2** 150 通り　**3** 152 通り　**4** 154 通り
5 156 通り

答

解答・解説

特訓問題 1

AからBに至る途中で必ず2点P，Qを通らなければなりませんので，まずAからPまでの最短経路を数えてみます。AからPに至る4回の移動のなかで，右への移動は2回ですから，

$${}_4C_2=\frac{4\times3}{2\times1}=6$$(通り)あります。

同様にしてPからQまでと，QからBまでも計算してみるとそれぞれ次のようになります。

$$(P\to Q)\ {}_3C_2=\frac{3\times2}{2\times1}=3\text{(通り)}$$

$$(Q\to B)\ {}_4C_2=\frac{4\times3}{2\times1}=6\text{(通り)}$$

AからPまでの6通りの最短経路の1つずつに対して，PからQ，QからBの最短経路の1つずつがすべて考えられますので，結局，AからBまでの最短経路の総数は，

$6\times3\times6=108$(通り)となります。

正解　4

特訓問題 2

×の所を回避する経路の場合の数を計算するには，すべての経路の数から×の所を通る場合の数を引くのがうまい方法です。まず，すべての経路は，

$${}_6C_3=\frac{6\times5\times4}{3\times2\times1}=20$$(通り)あります。

次に，図のように×の上と下の交叉点をP，Qとします。

×を通る経路は，A→P→Q→Bより，

${}_3C_2\times1\times{}_2C_1=3\times1\times2=6$(通り)あります。

したがって，求める場合の数は，

$20-6=14$(通り)とわかりました。

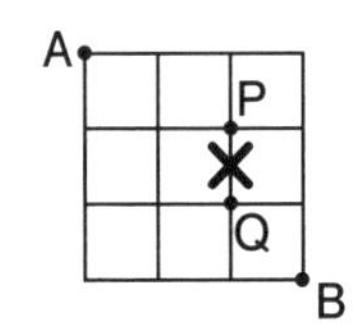

正解　2

特訓問題 3

問題図の A から B に至る最短経路は，下図の A から B に至る最短経路の中で点 P を通らないものと考えることができます。

まず，A から B までの最短経路の数は，

$${}_{10}C_5 = \frac{10 \times 9 \times 8 \times 7 \times 6}{5 \times 4 \times 3 \times 2 \times 1} = 252$$（通り）あります。

次に，点 P を通る経路は，A → P → B より，

$${}_5C_3 \times {}_5C_2 = \frac{5 \times 4 \times 3}{3 \times 2 \times 1} \times \frac{5 \times 4}{2 \times 1} = 100$$（通り）あります。

したがって，求める場合の数は，

$252 - 100 = 152$（通り）あることがわかりました。

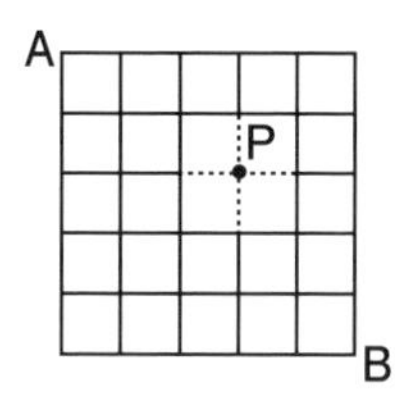

正解　3

確　率

確率の総和は１であることを
うまく利用しよう！

まずは，例題を解いてみよう！

【例題１】
さいころを２個振ったとき，でた目の合計が９となる確率を求めなさい。

【例題２】
男子５人，女子５人，計10人から２人の委員を選ぶとき，２人とも女子が選ばれる確率を求めなさい。

STEP2 解説を読んで，ポイントをつかもう！

【例題 1】

確率とは，**事柄の起こりやすさを 0 以上 1 以下の数字(分数)で表したもの**です。**数字が大きければ大きいほどその事柄が起こりやすい**と考えられます。確率を表す分数は，以下に示すような分母，分子で計算されます。

$$\frac{\text{その事柄が起こる場合の数}}{\text{起こりうるすべての場合の数}}$$

つまり，確率を計算するには，まず場合の数をしっかりと求めることが必要です。この問題では，さいころを 2 個振ったときのでる目の場合の数は，$6 \times 6 = 36$ 通りあります。その中で，でた目の合計が 9 となる場合を書き出してみると，(3，6)（4，5)（5，4)（6，3)の 4 通りあります。

したがって，でた目の合計が 9 となる確率は，

$\frac{4}{36}=\frac{1}{9}$ となります。

答 $\frac{1}{9}$

【例題 2】

10 人から 2 人の委員を選ぶ場合の数を求めてみます。

異なる 10 個のものから 2 個を選ぶ場合の数ですから，

${}_{10}C_2=\frac{10\times 9}{2\times 1}=45$(通り)になります。

これが **“起こりうるすべての場合の数”** です。次に，2 人とも女子が選ばれるのですから，5 人の女子から 2 人を選ぶ場合の数を求めてみます。

${}_{5}C_2=\frac{5\times 4}{2\times 1}=10$(通り)になります。

したがって，2 人とも女子が選ばれる確率は，

$\frac{10}{45}=\frac{2}{9}$ となります。

答 $\frac{2}{9}$

解き方のポイント

① 確率とは，事柄の起こりやすさを数(分数)で表したものです

$$\frac{\text{その事柄が起こる場合の数}}{\text{起こりうるすべての場合の数}}$$

② 確率は０以上１以下の数で，普通は分数の形で表されます

③ 確率を求める

確率を求めるには，場合の数を求める必要があります。順列や組合せの考え方をよく使いますので，練習しておくことが大切です。

④ 確率はすべて合わせると１

ある事柄が起こる確率を求める際に，その事柄が起こらない確率を求める方が，起こる確率を求めるより遥かに簡単なときがあります。
そのときには，**確率はすべて合わせると１**になることを利用して，事柄が起こらない確率を求めて１から引くようにしましょう。

STEP3 特訓問題を解いて，しっかり理解しよう！

特訓問題 1

1～13の数字が1つずつ書かれたカード13枚の中から2枚とり出すとき，2枚のカードの数の和が偶数になる確率を次のうちから選びなさい。

1 $\frac{5}{13}$　**2** $\frac{6}{13}$　**3** $\frac{7}{13}$　**4** $\frac{8}{13}$　**5** $\frac{9}{13}$

答

特訓問題 2

赤球6個，白球5個の合計11個の球が入っている袋があります。この中から同時に4個とり出すとき，少なくとも1個が白球である確率を次のうちから選びなさい。

1 $\frac{17}{22}$　**2** $\frac{9}{11}$　**3** $\frac{19}{22}$　**4** $\frac{10}{11}$　**5** $\frac{21}{22}$

答

特訓問題 3

1から14までの14個の数字から，異なる3個の数字を選ぶとき，選ばれた3個の数字の積が偶数となる確率を次のうちから選びなさい。

1 $\frac{45}{52}$　**2** $\frac{23}{26}$　**3** $\frac{47}{52}$　**4** $\frac{12}{13}$　**5** $\frac{49}{52}$

答

解答・解説

特訓問題 1

まず，13枚のカードから2枚とる組合せの数を求めると，

$${}_{13}C_2 = \frac{13 \times 12}{2 \times 1} = 78\text{(通り)となります。}$$

これが **"起こりうるすべての場合の数"**，つまり確率の分母となります。

次に，2枚のカードの和が偶数という条件を考えてみましょう。1～13のカードを偶数と奇数の2つのグループに分けると，

A(偶数) ……2　4　6　8　10　12
B(奇数) ……1　3　5　7　9　11　13

となります。2枚のカードの和が偶数になるには，Aグループから2個とるか，Bグループから2個とる以外にないということがわかります。

したがって，とり出された2枚のカードに書かれた数字の和が偶数となる場合の数は，

$$_6C_2 + {}_7C_2 = \frac{6 \times 5}{2 \times 1} + \frac{7 \times 6}{2 \times 1} = 15 + 21 = 36(\text{通り})$$

あることがわかりました。これが，**“その事柄が起こる場合の数”**です。

したがって，2枚のカードの数の和が偶数になる確率は，

$\frac{36}{78} = \frac{6}{13}$となります。

正解 2

特訓問題2

起こりうるすべての場合の数は，11個の球より4個とり出す組合せの数です。したがって，

$$_{11}C_4 = \frac{11 \times 10 \times 9 \times 8}{4 \times 3 \times 2 \times 1} = 330(\text{通り})$$となります。

次に，4個のうち少なくとも1個が白球という事柄が起こらない場合とは，4個すべて赤球が取り出されるときです。そこで，この場合の確率を求めて，確率の全体である1から引くことによって，求める確率を計算します。

まず，赤球6個から4個を選ぶ場合の数は，

$$_6C_4 = \frac{6 \times 5 \times 4 \times 3}{4 \times 3 \times 2 \times 1} = 15(\text{通り})$$となります。

したがって，白球0個，赤球4個がとり出される確率は，

$\frac{15}{330} = \frac{1}{22}$となります。

以上より，4個のうち少なくとも1個が白球となる確率は，

$1 - \frac{1}{22} = \frac{21}{22}$とわかりました。

正解 5

特訓問題 3

起こりうるすべての場合の数は，14 個の数字より 3 個の数字をとり出す場合の数です。まず，これから計算しましょう。

$${}_{14}C_3 = \frac{14 \times 13 \times 12}{3 \times 2 \times 1} = 364 \text{(通り)となります。}$$

次に，3 個の数字の積が偶数になるという条件を次のように考えます。いくつかの数を選び，かけた結果が偶数になるということは，かけた数の中に少なくとも 1 個，偶数の数が含まれていたということです。

つまり，この問題は，**“14 個の数から 3 個の数を選んだとき，少なくとも 1 個の偶数が選ばれる確率を求めよ”**と読みとることができます。

そこで，少なくとも 1 個の偶数が選ばれる場合の数を求めればよいのですが，この場合は偶数が 1 個も選ばれない場合の数を求める方が簡単です。

1 から 14 までの 14 個の数を偶数と奇数に分けると，

偶数……7 個，奇数……7 個

に分かれます。1 個も偶数が選ばれないのは奇数が 3 個選ばれることですから，

$${}_{7}C_3 = \frac{7 \times 6 \times 5}{3 \times 2 \times 1} = 35 \text{(通り)となります。}$$

したがって，1 個も偶数が選ばれない確率は，$\frac{35}{364} = \frac{5}{52}$ より，

少なくとも 1 個の偶数が選ばれる確率は，

$$1 - \frac{5}{52} = \frac{47}{52} \text{とわかりました。}$$

正解 3

数的推理
13

集　合

集合はいつも図(ベン図)を描いて考えよう！

STEP1　まずは，例題を解いてみよう！

42 人学級の教室で調査をしたところ，国語が好きな子供は 15 人，算数が好きな子供は 25 人，どちらも好きでない子供が 10 人でした。算数は好きだが，国語は好きでない子供は何人いるでしょうか。

STEP2 解説を読んで，ポイントをつかもう！

全体集合である学級，国語が好きな子供の集合，算数が好きな子供の集合をベン図(→ p. 82 参照)で表してみます。

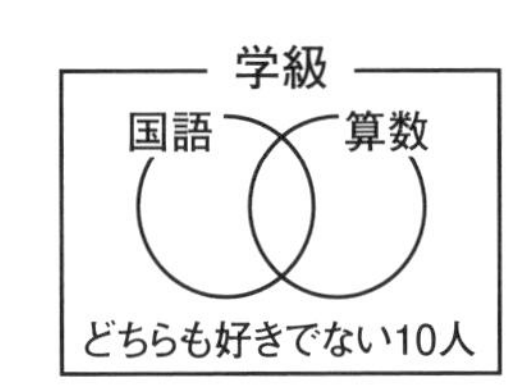

このベン図の中の各部分に属する子供の数を計算してみます。

まず，国語が好き，算数が好き，どちらも好きでないの 3 つの集合に属する子供の数をすべてたすと，15 + 25 + 10 = 50 人となり，学級人数より多くなってしまいます。

これは，両方とも好きな子供をだぶって数えているからです。したがって，この増えた分の 50 − 42 = 8 が国語も算数も好きな子供の数ということがわかるわけです。

すると，国語は好きだが算数は好きでない子供の数は，15 − 8 = 7

算数は好きだが国語は好きでない子供の数は，25 − 8 = 17

とわかりますので，ベン図の中に数字を書き込むと下図のようになります。

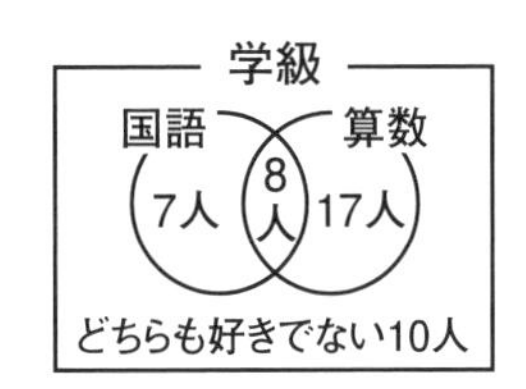

結局，算数は好きだが国語は好きでない子供は **17 人**とわかりました。

答 17 人

解き方のポイント

① 集合とベン図

集合は，いろいろな情報を整理し，わかりやすくするときによく用いられます。その際，**集合をベン図を用いて表す**と集合同士の関係を視覚的に理解することができとても便利です。まずは，このベン図が書けるようになりましょう。

② ベン図

ベン図では，全体集合は長方形で表し，個々の集合は円を使って表します。

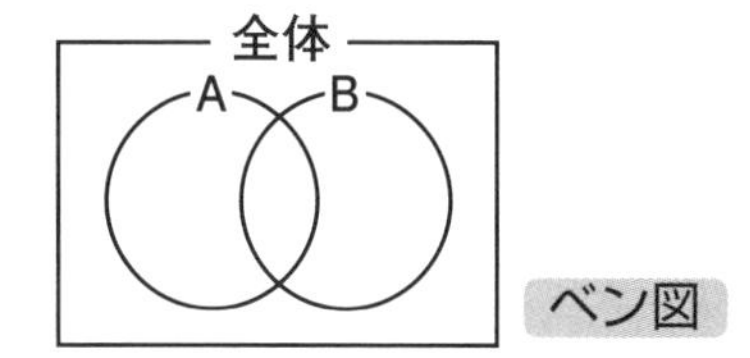

ベン図

③ 集合同士の関係

集合をベン図で表したとき，その各部分に属するものの数を図に書き込むと，集合同士の関係がよりわかりやすくなります。その際，各部分の数を計算するときに，以下の関係がよく使われますので覚えておきましょう。

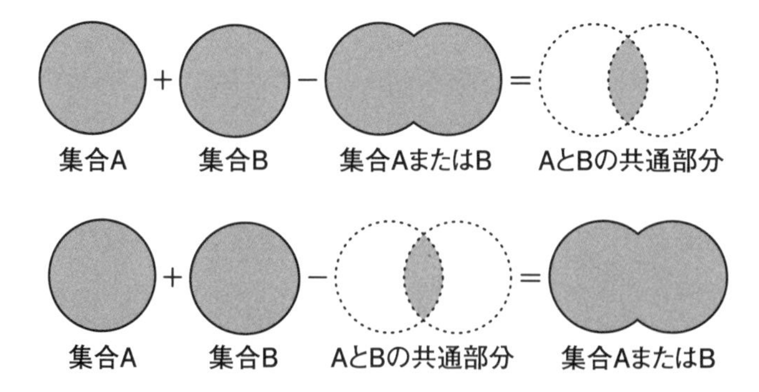

特訓問題を解いて，しっかり理解しよう！

特訓問題 1

ある学校で 100 人を対象に調査をしたところ，次のような結果になりました。

野球をしたことがありますか？
　ある：78 人，ない：22 人
卓球をしたことがありますか？
　ある：45 人，ない：55 人

野球も卓球もしたことがない人がこの学校に 7 人いるとき，野球も卓球もしたことがある人は何人いるでしょうか。次のうちから選びなさい。

1　30 人　　**2**　31 人　　**3**　32 人　　**4**　33 人　　**5**　34 人

答

特訓問題 2

42 人のクラスで試験をしたところ，1 問目の正解者は 35 人，2 問目の正解者は 20 人でした。2 問とも正解の人は，最も少ない場合何人ですか。次のうちから選びなさい。

1　10 人　**2**　11 人　**3**　12 人　**4**　13 人　**5**　14 人

特訓問題 3

1 から 100 までの数のうち，3 または 4 の倍数はいくつありますか。次のうちから選びなさい。

1　46 個　**2**　48 個　**3**　50 個　**4**　52 個　**5**　54 個

解答・解説

特訓問題 1

野球か卓球をしたことがある人の数は，100 − 7 = 93 人となります。

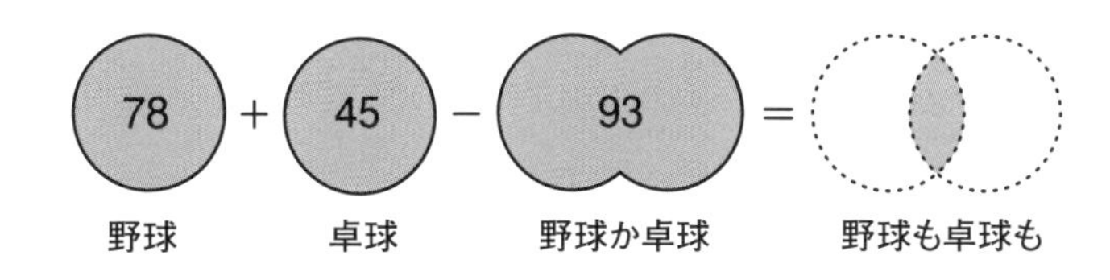

上記の考え方より，野球も卓球もしたことがある人は，
78 ＋ 45 − 93 ＝ 30 より，30 人とわかりました。

正解 1

特訓問題 2

下の図より，1 問目か 2 問目のどちらかを正解した人が最も多いとき(クラス全体となる 42 人)，両方とも正解した人が最も少なくなることがわかります。

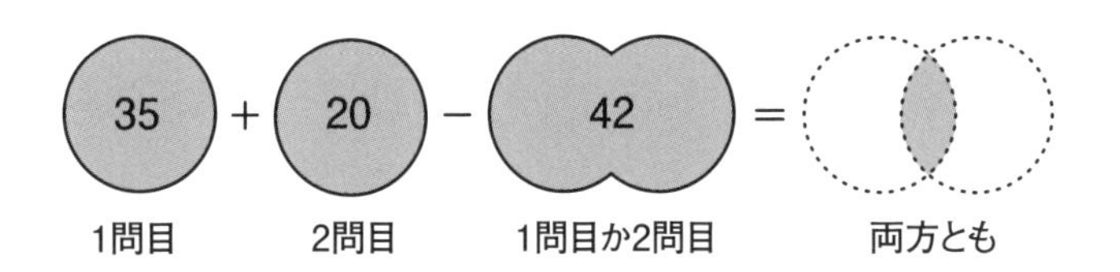

したがって，2 問とも正解の人が最も少ない場合は，
35 ＋ 20 − 42 ＝ 13 人とわかりました。

正解 4

特訓問題 3

3 の倍数を順に並べると，3，6，9，12，……，99，となります。3 で割ると，1，2，3，……，33 となるので 33 個あることがわかります。

4 の倍数を順に並べると，4，8，12，16，……，100，となります。4 で割ると，1，2，3，……，25 となるので 25 個あることがわかります。

3 の倍数であり，かつ 4 の倍数でもある 12 の倍数も同様に調べると，8 個あることがわかります。

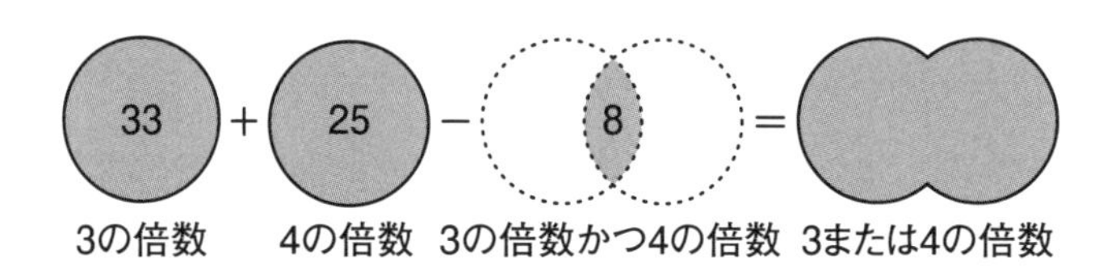

したがって，3 または 4 の倍数は，33 ＋ 25 － 8 ＝ 50 個　とわかりました。

正解 3

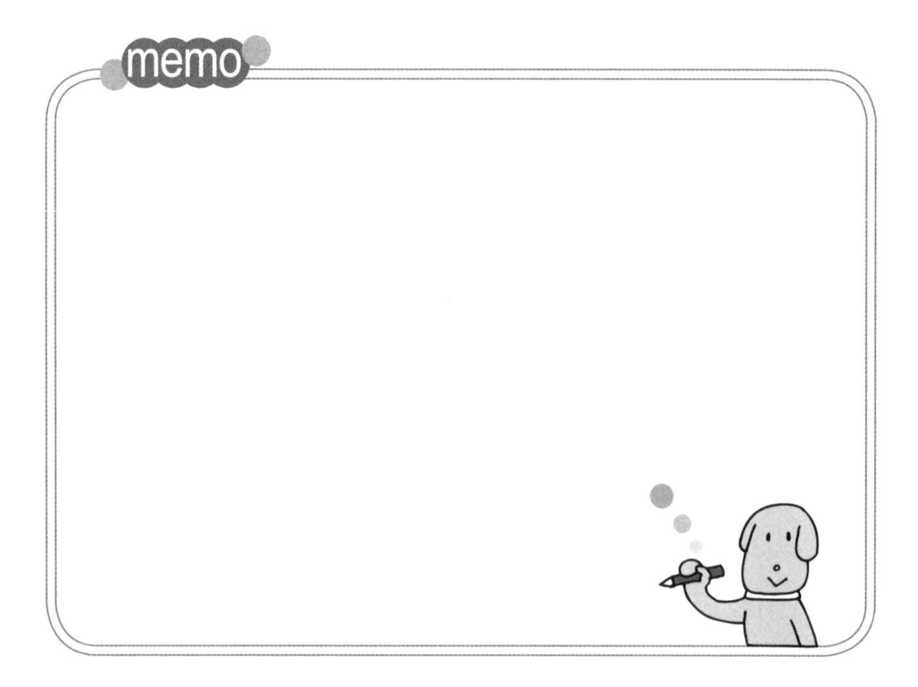

n 進法

n 進法→ 10 進法，10 進法→
n 進法の直し方の違いに注意
しよう！

まずは，例題を解いてみよう！

【例題 1】
2 進法の 1011 は，10 進法で表すと何になりますか。

【例題 2】
10 進法の 11 は，2 進法で表すと何になりますか。

STEP2 解説を読んで，ポイントをつかもう！

【例題 1】

2 進法の 1011 を位取りを省略せずに書くと次のようになります。

$$\underline{2^3 \times}\,1 + \underline{2^2 \times}\,0 + \underline{2^1 \times}\,1 + \underline{2^0 \times}\,1 \; (2^0 = 1)$$

2 進法の数を 10 進法に直すには，まずこのように位取りを**省略せずに正しく式を書き，できた式をそのまま計算**すればよいのです。

$2^3 = 8$，$2^2 = 4$，$2^1 = 2$，$2^0 = 1$ に注意して計算すると，

$$8 \times 1 + 4 \times 0 + 2 \times 1 + 1 \times 1 = 11$$

となるので，10 進法で表すと **11** となります。

＊ *n* 進法で表されている数を 10 進法の数に直すには，位取りの記述で省略されている部分をもとに戻して正しい式を書き，あとは 2 乗や 3 乗に注意して計算するだけでよいのです。

答 11

【例題 2】

まず，$11 \div 2 = 5 \cdots 1$　を右のように書くことにします。

$$\begin{array}{r|l} 2 & 11 \\ \hline & 5 \;\cdots\; 1 \end{array}$$

この割り算の答えである 5 を再び 2 で割って，同じ形式で続けて書くと右のようになります。

$$\begin{array}{r|l} 2 & 11 \\ \hline 2 & 5 \;\cdots\; 1 \\ \hline & 2 \;\cdots\; 1 \end{array}$$

このようにして，割り算の答えを次々と 2 で割っていく計算を割れなくなるまで続けると，右のようになります。

$$\begin{array}{r|l} 2 & 11 \\ \hline 2 & 5 \;\cdots\; 1 \\ \hline 2 & 2 \;\cdots\; 1 \\ \hline & 1 \;\cdots\; 0 \end{array}$$

最後に

$$\begin{array}{r|l} 2 & 11 \\ \hline 2 & 5 \;\cdots\; \boxed{1} \\ \hline 2 & 2 \;\cdots\; \boxed{1} \\ \hline & \boxed{1} \;\cdots\; \boxed{0} \end{array} \uparrow$$

この矢印の順に□に入る数を用いると，11は，

$$11 = \underline{2^3 \times} 1 + \underline{2^2 \times} 0 + \underline{2^1 \times} 1 + \underline{2^0 \times} 1$$

と表せるのです。

したがって，2進法では，**1011** とわかりました。

＊ 10進法で表されている数を n 進法に直すには，もとの数を n で割り，その答えをまた n で割ることを繰り返すこの便利な方法で簡単に答えを導くことができます。

答 1011

① n 進法の数を 10 進法の数に直す方法

n 進法で表されている数は，位取りのルールで書かれているため，各桁の数字の前に省略されている部分があります。
たとえば，2進法の1101，3進法の1211ならば，

《2進法》 $\underline{2^3 \times} 1 + \underline{2^2 \times} 1 + \underline{2^1 \times} 0 + \underline{2^0 \times} 1$
《3進法》 $\underline{3^3 \times} 1 + \underline{3^2 \times} 2 + \underline{3^1 \times} 1 + \underline{3^0 \times} 1$

と本来ならば書くべきところを，＿＿の部分を省略しているわけです。
n 進法で表されている数を10進法の数に直すには，位取りのルールで省略されているこの部分をもとに戻し，あとは累乗(2乗や3乗)に注意して式の通りに計算するだけでよいのです。

② 10 進法の数を n 進法の数に直す方法

10進法で表されている数を n 進法で表すには，もとの数を n で割れなくなるまで連続して割り，商とあまりを出していくだけで答えが出せる便利な方法があります。

n)	元の数		
n)	商	…	あまり
n)	商	…	あまり
	商	…	あまり

矢印の順に答えを表す数字が出てきます。

特訓問題を解いて，しっかり理解しよう！

特訓問題 1

3 進法の 2201 は 10 進法で表すと何になりますか。次のうちから選びなさい。

1 72　**2** 73　**3** 74　**4** 75　**5** 76

答

特訓問題 2

10 進法の 37 は 2 進法で表すと何になりますか。次のうちから選びなさい。

1 101001　**2** 101010　**3** 101011　**4** 100101
5 100110

答

特訓問題 3

3 進法の 212 は 2 進法では何になりますか。次のうちから選びなさい。

1 110110　**2** 10111　**3** 11010　**4** 11011　**5** 11100

特訓問題 4

2 進法で表された 4 桁の数のうち最大のものと，3 進法で表された 4 桁の数の最小のものの和を 10 進法で表すといくつになりますか。次のうちから選びなさい。

1 40　**2** 41　**3** 42　**4** 43　**5** 44

答

解答・解説

特訓問題 1

3 進法で表された 2201 を，位取りの記述で省略されている部分を正しく書いて計算しましょう。

$$\underline{3^3 \times} 2 + \underline{3^2 \times} 2 + \underline{3^1 \times} 0 + \underline{3^0 \times} 1 = 54 + 18 + 0 + 1 = 73$$

したがって，10 進法では 73 とわかりました。

正解 2

特訓問題 2

2 進法で表すのですから，2 で割っていきましょう

2)	37		
2)	18	…	1
2)	9	…	0
2)	4	…	1
2)	2	…	0
	1	…	0

正解 4

したがって，2 進法では 100101 とわかりました。

特訓問題 3

このような問題では，3 進法から 2 進法に直接直すのではなく，まずは 3 進法を 10 進法に直すことからはじめましょう。

まず，3 進法の 212 を 10 進法に直します。

$$\underline{3^2 \times} 2 + \underline{3^1 \times} 1 + \underline{3^0 \times} 2 = 18 + 3 + 2 = 23$$

次に，この 10 進法の 23 を 2 進法で表します。

2進法で表すのですから，2で割っていきましょう。

$$
\begin{array}{r|rl}
2 & 23 & \\
2 & 11 & \cdots 1 \\
2 & 5 & \cdots 1 \\
2 & 2 & \cdots 1 \\
 & 1 & \cdots 0
\end{array}
$$

したがって，2進法では10111とわかりました。

正解 2

特訓問題4

2進法で使う数字は，0と1しかありません。したがって，2進法で表された4桁の数のうち最大のものとは，1111であることがわかります。そこで，まずこの数を10進法に直しておきます。

$$\underline{2^3 \times}1 + \underline{2^2 \times}1 + \underline{2^1 \times}1 + \underline{2^0 \times}1 = 8 + 4 + 2 + 1 = 15$$

次に，3進法で表された4桁の数のうち最小のものは，もちろん1000ですから，この数も10進法に直しておきます。

$$\underline{3^3 \times}1 + \underline{3^2 \times}0 + \underline{3^1 \times}0 + \underline{3^0 \times}0 = 27 + 0 + 0 + 0 = 27$$

以上より，求める数は10進法で表すと　$15 + 27 = 42$　とわかりました。

正解 3

数的推理
15

数　列

等差数列の n 番目の項と和の求め方を理解しよう！

STEP 1　まずは，例題を解いてみよう！

3，7，11，15，19，……という数列があります。

① この数列の 30 番目の数を求めなさい。

② この数列の 20 番目までの和を求めなさい。

STEP2　解説を読んで，ポイントをつかもう！

まずは，下の数列をもとにいくつかの言葉を覚えましょう。

1，3，5，7，9，11，……

数列において，並んでいる各数字を**項**，特に最初の数字を**初項**といいます。そして，この数列のように隣り合う各項の間の差が一定な数列を**等差数列**，その差を**公差**と呼んでいます。つまり，この数列は，初項が1，公差が2の等差数列と呼ばれるわけです。

ここで，この数列の5番目の項9に着目し，5番目の項がなぜ9になるのかを考えてみましょう。

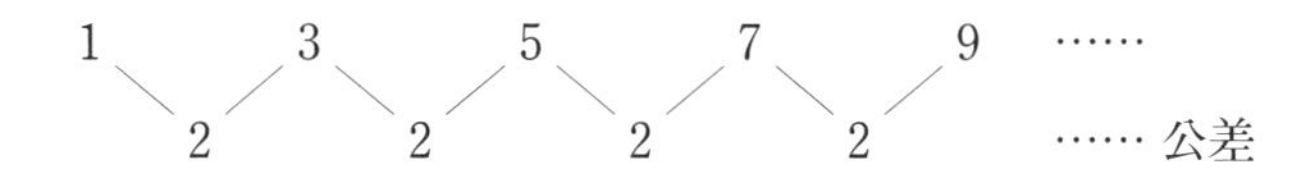

初項の1から5番目の項9まで，ちょうど8だけ増えていますが，これは公差の4倍にあたります。

つまり，初項と5番目の項との差は公差の4倍になっているのですが，これは小学校で習う植木算を思い出せばわかりやすいでしょう。

植木算とは，両端に植木が立っているとき，植木の間の数は植木の数よりひとつ少なくなるというものでした。この場合では，各項が植木，公差が植木の間と考えればよいでしょう。

すると，5番目の項と初項との間には公差にあたる間が，$5-1=4$ 個あることがわかります。

したがって，初項と5番目の項との差は，$2\times4=8$ となります。

あとはこの差と初項をたせば，5番目の項ができるわけです。

5番目の項＝初項＋公差×$(5-1)=1+2\times4=9$

この考え方は，何番目の項を求めるときでも使えるはずです。

以上より，n 番目の項を求める式は，

n 番目の項＝初項＋公差 ×$(n-1)$

となるわけです。

次に，初項から5番目の項9までの和を考えてみましょう。

$1+3+5+7+9$

もちろんコツコツと初めからたしていけば答えはでますが，ここでは数列の和を求めるもっとうまい方法を覚えましょう。

まず，求める数列の和の式の下に，順番を逆にした数列の和の式を書いて，この2つの式をたしてみます。

$$\begin{array}{rl} & 1 + 3 + 5 + 7 + 9 \\ +) & 9 + 7 + 5 + 3 + 1 \\ \hline & 10 + 10 + 10 + 10 + 10 \end{array} \quad \cdots\cdots *$$

すると，各項の和はみんな10になります。このように**等差数列は，順番を逆にしてたすとすべて同じ数字**になるのです。この性質を使うと，簡単に数列の和を求めることができます。

まず，*の式を計算すると，$10 \times 5 = 50$ です。そして，これは求める数列の和の2つ分ですから，求める数列の和は，$10 \times 5 \div 2 = 25$ となります。

ところで，この10という数字は，初項と5番目の項(最後の項)の和です。つまり等差数列の和を求めるときは，次のような計算をすればよいわけです。

等差数列の和＝(初項＋最後の項)×項の数÷2

それでは，例題を考えてみましょう。

この数列は，初項が3，公差が4の等差数列です。したがって，

① 30番目の数＝初項＋公差×(30－1)
＝3＋4×29
＝**119**

答 119

② 20番目の数＝初項＋公差×(20－1)
＝3＋4×19
＝79

これが数列の最後の項ですから，

等差数列の和＝(初項＋最後の項)×項数÷2
＝(3＋79)×20÷2
＝**820**

答 820

解き方のポイント

① 等差数列の n 番目の数を求める方法

初項から n 番目の項までに，項と項の間は $n-1$ 個ありますので，n 番目の項と初項との差は，公差の $(n-1)$ 倍になります。
したがって，n 番目の項は，初項と公差の $(n-1)$ 倍との和になるのです。

n 番目の項＝初項＋公差 ×$(n-1)$

② 等差数列の初項から n 番目の項までの和を求める方法

等差数列は順番を逆にしてたすとすべて同じ数になります。この等差数列の性質を利用して数列の和を簡単に計算することができます。
数列の最初の数を初項，最後の項を末項と呼ぶことにします。

```
       初項    ＋………………＋  末項
  ＋)  末項    ＋………………＋  初項
(初項＋末項)  ＋………………＋ (初項＋末項)  ……＊
```

＊の和は求める数列の和の 2 倍になりますので，(＊の和)÷ 2 が等差数列の和となるわけです。

等差数列の和＝(初項＋末項)×項の数÷ 2

特訓問題を解いて，しっかり理解しよう！

特訓問題 1

1，4，7，10，13，……という数列があります。この数列の 11 番目から 20 番目までの和を次のうちから選びなさい。

1　440　　**2**　445　　**3**　450　　**4**　455　　**5**　460

特訓問題 2

2 桁の数のうち，3 で割ると 1 あまる数の和を次のうちから選びなさい。

1　1205　　**2**　1305　　**3**　1405　　**4**　1605　　**5**　1705

答

特訓問題 3

52, 49, 46, 43, 40, …… という数列があります。
① 初めて負の数になるのは第何項ですか。次のうちから選びなさい。

1 15項 **2** 16項 **3** 17項 **4** 18項 **5** 19項

答

② 初めから第何項までの和が最大になるかを考え，そのときの和を次のうちから選びなさい。

1 475 **2** 477 **3** 479 **4** 481 **5** 483

答

解答・解説

特訓問題 1

この数列は，初項が1，公差が3の等差数列です。
まず，11番目の項と20番目の項を求めてみます。

11番目の項＝ $1 + 3 \times (11 - 1) = 31$

20番目の項＝ $1 + 3 \times (20 - 1) = 58$

したがって，11番目から20番目までの和は，

$31 + 34 + 37 + \cdots + 58$ となります。

これは，初項31，末項58，項の数10の等差数列の和なので，

$(31 + 58) \times 10 \div 2 = 445$ とわかりました。

正解 2

特訓問題２

3で割ると1あまる2桁の数を順に並べてみます。

10, 13, 16, 19, ……, 97

これは，初項10，公差3，末項97の等差数列です。

ここで，末項97は第n項であるとすると，

$97 = 10 + 3 \times (n - 1)$

$97 = 7 + 3n$

$3n = 90$

$n = 30$(項の数)

したがって，求める数の和は，$(10 + 97) \times 30 \div 2 = 1605$とわかりました。

正解　4

特訓問題３

① 初項52，公差−3の等差数列ですので，まずn番目の項を求めます。

n番目の項は，$52 + (-3) \times (n - 1) = -3n + 55$

これが負になる場合を考えると，

$-3n + 55 < 0$

$n > 18.33\cdots$

したがって，初めて負になるのは第19項とわかりました。

正解　5

② この数列は，①より第19項より負の数になります。したがって，初めからの和が最大になるのは，負の数になる直前の第18項までの和を計算したときだということがわかります。

第18項は，$52 + (-3) \times (18 - 1) = 1$より，

初めから第18項までの和は，

$(52 + 1) \times 18 \div 2 = 477$とわかりました。

正解　2

数的推理 16 三平方の定理

直角三角形の三辺の長さの関係式をまずは覚えよう！

STEP1 まずは，例題を解いてみよう！

下図の AD の長さを求めなさい。

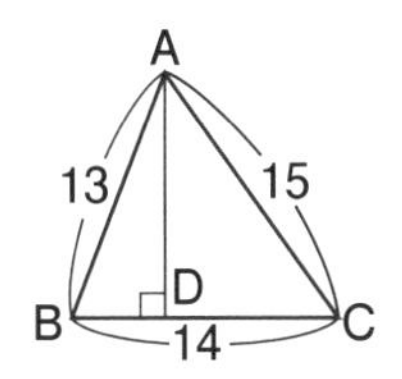

STEP2　解説を読んで，ポイントをつかもう！

直角三角形の性質を調べるときに使われる三平方の定理は，幾何学における最も重要な定理としてよく知られています。まず，三平方の定理の内容を確認しましょう。

三平方の定理

$a^2 = b^2 + c^2$

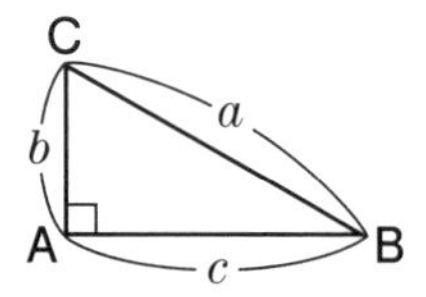

三平方の定理は，直角三角形における辺の長さの関係を表したものです。ではこの定理を用いて，例題を考えてみましょう。

まず，$BD = x$ とおきます。

直角三角形 ABD に三平方の定理を用いると，

$13^2 = AD^2 + x^2$　ですから，$AD^2 = 169 - x^2$　……①

また，$CD = 14 - x$　ですから，直角三角形 ACD に三平方の定理を用いると，$15^2 = AD^2 + (14 - x)^2$　ですから，

$AD^2 = 225 - (14 - x)^2$　……②

①，②より，$169 - x^2 = 225 - (14 - x)^2$

$$169 - x^2 = 225 - 196 + 28x - x^2$$

$$28x = 140$$

$$x = 5$$

①に代入すると，$AD^2 = 169 - 25 = 144$

したがって，$AD =$ **12** となります。

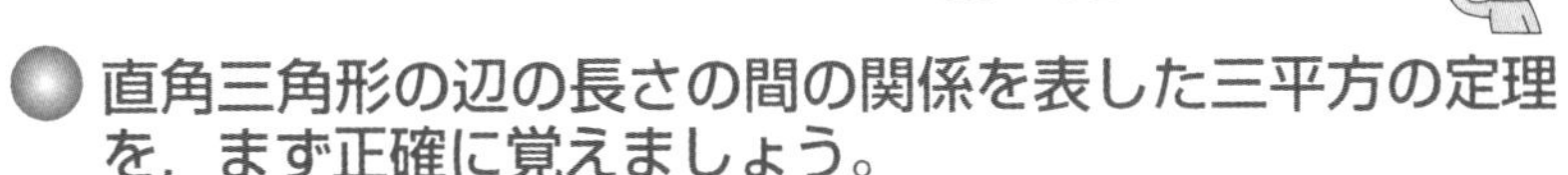

直角三角形の辺の長さの間の関係を表した三平方の定理を，まず正確に覚えましょう。

【三平方の定理】

△ABCにおいて∠A＝90°，A，B，Cの対辺をそれぞれa，b，cとする。

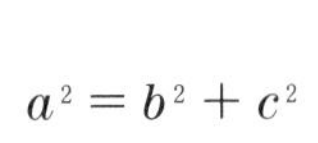

$$a^2 = b^2 + c^2$$

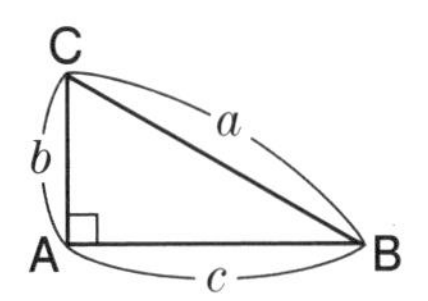

この定理は単に式を暗記するだけでは役に立ちません。それより直角三角形においては，どこか2つの辺の長さがわかるときは他の1辺の長さを計算で出すことができるということが，頭にしっかりと入っていることが大切なのです。

三平方の定理は単に辺の長さを出すときだけでなく，方程式をつくるときに用いられたりするとても応用範囲の広い定理です。

そのため，問題を解く過程において何度も使われることがあり，できるだけ定理に慣れ親しんでおく必要があります。

特訓問題を解いて，しっかり理解しよう！

特訓問題 1

図の x の長さを次のうちから選びなさい。

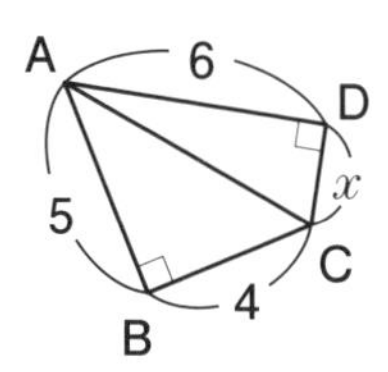

1 $\sqrt{2}$　　**2** $\sqrt{3}$　　**3** $\sqrt{5}$　　**4** $\sqrt{6}$　　**5** $\sqrt{7}$

特訓問題 2

AB = 3，BC = 6 の長方形 ABCD を EF を折り目として，C と A が重なるように折るとき，BE の長さを次のうちから選びなさい。

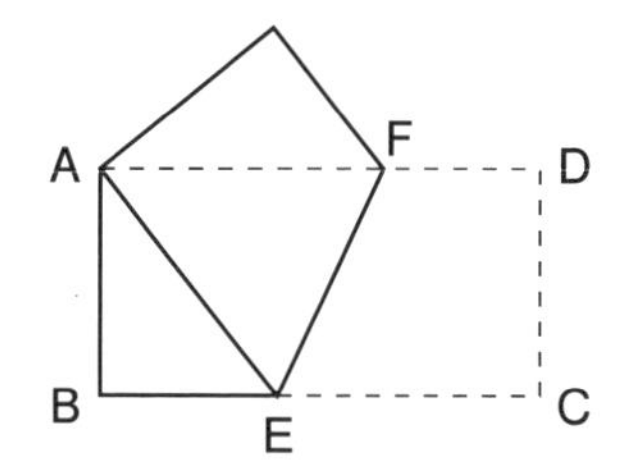

1 2　　**2** $\frac{9}{4}$　　**3** $\frac{5}{2}$　　**4** $\frac{11}{4}$　　**5** 3

答

特訓問題 3

下図の台形 ABCD の面積を次のうちから選びなさい。

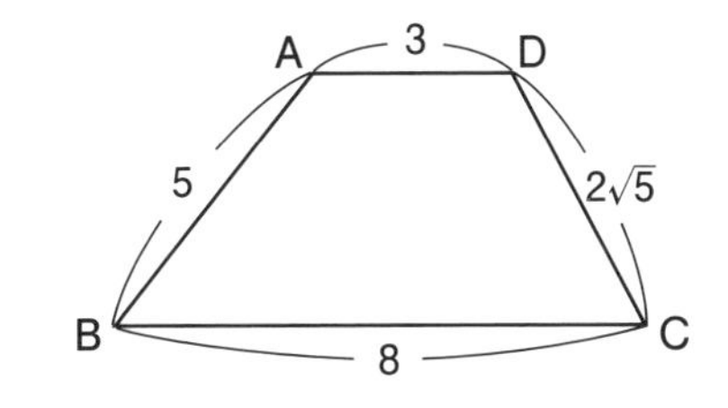

1 19　**2** 20　**3** 21　**4** 22　**5** 23

答

解答・解説

特訓問題 1

直角三角形 ABC において三平方の定理より,

$$AC^2 = 5^2 + 4^2 = 25 + 16 = 41 \quad \cdots\cdots①$$

直角三角形 ACD において三平方の定理より,

$$AC^2 = CD^2 + 6^2 = x^2 + 36 \quad \cdots\cdots②$$

①, ②より, $41 = x^2 + 36$

$$x^2 = 5$$

したがって, $x = \sqrt{5}$ とわかりました。

正解 3

特訓問題 2

$BE = x$ とおくと，$AE = EC = 6 - x$ となります。

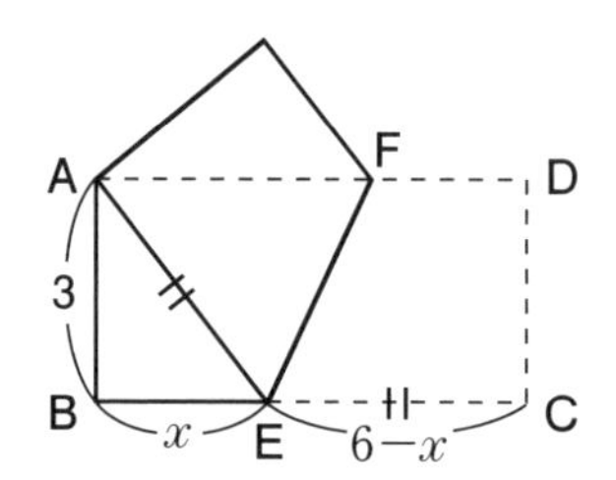

△ABE において三平方の定理を用いると，$AE^2 = AB^2 + BE^2$ ですから，

$$(6 - x)^2 = 3^2 + x^2$$

したがって，$36 - 12x + x^2 = 9 + x^2$

$$12x = 27$$

$$x = \frac{9}{4}$$

以上より，$BE = \frac{9}{4}$ とわかりました。

正解 2

特訓問題 3

まずは，高さ DH を求めます。D から辺 BC に引いた垂線と BC との交点を H，D を通り AB に平行な直線と BC との交点を E とします。四角形 ABED は平行四辺形より，AD = BE = 3，AB = DE = 5 です。

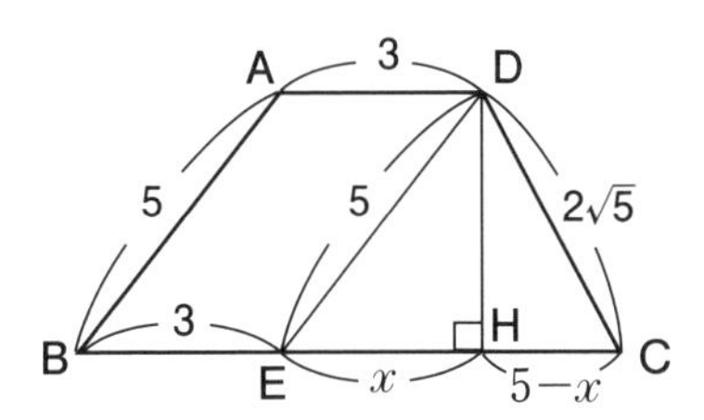

したがって，EC = 8 − 3 = 5，EH = x とおくと，CH = 5 − x
△DEH と△DCH に三平方の定理を用いると，
$DH^2 = DE^2 - EH^2$ だから，$DH^2 = 5^2 - x^2$ ……①
$DH^2 = DC^2 - CH^2$ だから，$DH^2 = (2\sqrt{5})^2 - (5 - x)^2$ ……②
①，②より，

$$5^2 - x^2 = (2\sqrt{5})^2 - (5 - x)^2$$

$$25 - x^2 = 20 - 25 + 10x - x^2$$

$$x = 3$$

したがって，$DH^2 = 5^2 - 3^2 = 25 - 9 = 16$

$$DH = 4$$

以上より，面積は，(3 + 8) × 4 ÷ 2 = 22 とわかりました。

正解 4

数的推理 17

おうぎ形と球

各図形の体積や表面積を求める公式は正確に覚えよう！

STEP 1 まずは，例題を解いてみよう！

【例題 1】

下図の色のついた部分の面積と周の長さを求めなさい。

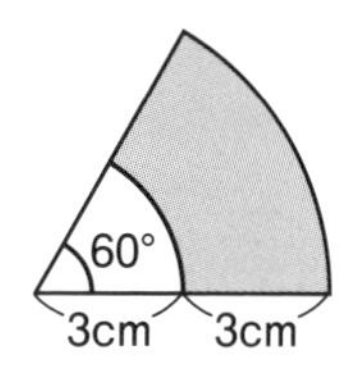

【例題 2】

① 半径 3 cm の球の表面積と体積を求めなさい。

② 下図の円錐の表面積を求めなさい。

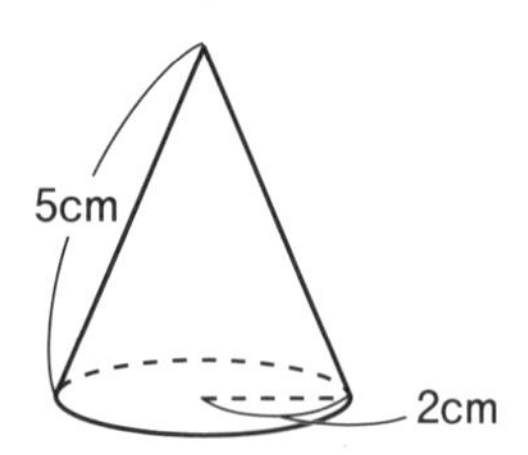

STEP2 解説を読んで，ポイントをつかもう！

【例題 1】

まず，おうぎ形に関する基本公式の確認をしましょう。

おうぎ形に関する基本公式

弧の長さ $\boldsymbol{l}$ ＝円周×$\dfrac{中心角}{360°}$＝$2\pi \boldsymbol{r}\times\dfrac{\boldsymbol{x}}{360}$

面積 $\boldsymbol{S}$ ＝円の面積×$\dfrac{中心角}{360°}$＝$\pi \boldsymbol{r}^2\times\dfrac{\boldsymbol{x}}{360}$

それでは，上記の公式を用いてこの問題を解いてみましょう。

色のついた部分＝半径 6 のおうぎ形 － 半径 3 のおうぎ形より，

色のついた部分の面積 $S=\pi\times6^2\times\dfrac{60}{360}-\pi\times3^2\times\dfrac{60}{360}=\dfrac{9}{2}\pi$

周の長さは，$L=2\times\pi\times3\times\dfrac{60}{360}+2\times\pi\times6\times\dfrac{60}{360}+3\times2=3\pi+6$

以上より，面積は $\dfrac{9}{2}\pi\,\mathrm{cm}^2$，周の長さは，$(3\pi+6)\mathrm{cm}$ となります。

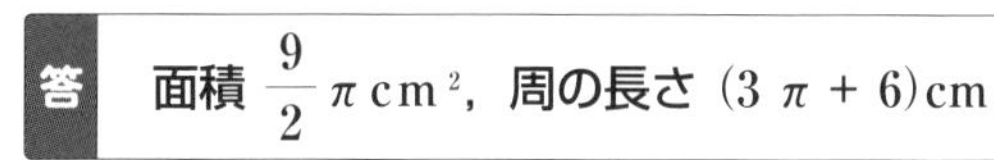
答　面積 $\dfrac{9}{2}\pi\,\mathrm{cm}^2$，周の長さ $(3\pi+6)\mathrm{cm}$

【例題 2】

まず，球と円錐に関する基本公式の確認をしましょう。

球の基本公式の確認

表面積 $\boldsymbol{S}=4\times\pi\times(半径)^2=4\pi\boldsymbol{r}^2$

体積 $\boldsymbol{V}=\dfrac{4}{3}\times\pi\times(半径)^3=\dfrac{4}{3}\pi\boldsymbol{r}^3$

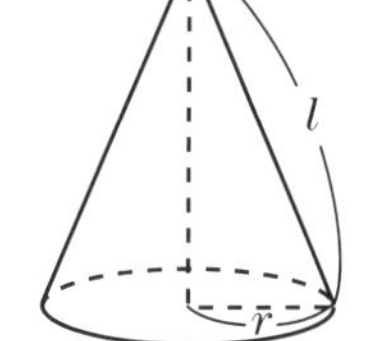

円錐の基本公式の確認

側面積 $\boldsymbol{S}=\pi\times半径\times母線=\pi\boldsymbol{rl}$

それでは，前記の公式を用いて例題 2 の問題を解いてみましょう。

① 表面積 $S = 4 \times \pi \times 3^2 = 36\pi \text{ cm}^2$

体積 $V = \frac{4}{3} \times \pi \times 3^3 = 36\pi \text{ cm}^3$

② 表面積＝側面積＋底面積＝$\pi \times 2 \times 5 + \pi \times 2^2 = 14\pi \text{ cm}^2$

答 ①**表面積** $36\pi \text{cm}^2$，**体積** $36\pi \text{cm}^3$　②**表面積** $14\pi \text{cm}^2$

解き方のポイント

① おうぎ形の弧の長さと面積を求める式を正確に覚えよう

弧の長さ $\boldsymbol{l}$ ＝**円周**$\times \frac{\text{中心角}}{360^\circ} = 2\pi \boldsymbol{r} \times \frac{\boldsymbol{x}}{360}$

面積 $\boldsymbol{S}$ ＝**円の面積**$\times \frac{\text{中心角}}{360^\circ} = \pi \boldsymbol{r}^2 \times \frac{\boldsymbol{x}}{360}$

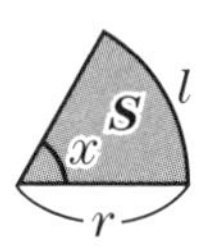

② 球の表面積と体積を求める式を正確に覚えよう

表面積 $\boldsymbol{S} = 4 \times \pi \times (\text{半径})^2 = 4\pi \boldsymbol{r}^2$

体積 $\boldsymbol{V} = \frac{4}{3} \times \pi \times (\text{半径})^3 = \frac{4}{3}\pi \boldsymbol{r}^3$

③ 母線の長さ l，底面の半径 r，高さ h の円錐の側面積と体積を求める式を正確に覚えよう

側面積 $\boldsymbol{S} = \pi \times \text{半径} \times \text{母線} = \pi \boldsymbol{rl}$

体積 $\boldsymbol{V} = \frac{1}{3} \times \pi \times (\text{半径})^2 \times \boldsymbol{h} = \frac{1}{3}\pi \boldsymbol{r}^2 \boldsymbol{h}$

STEP3 特訓問題を解いて，しっかり理解しよう！

特訓問題 1

下図のような，円錐と半球を組み合わせた立体があります。このとき，以下の問いに答えなさい。

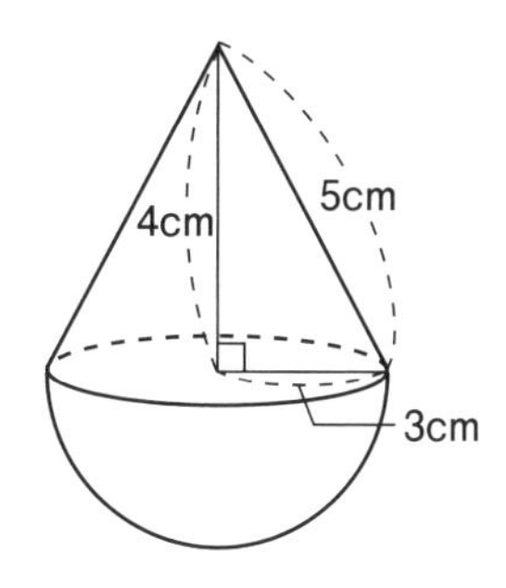

① 体積を次のうちから選びなさい。

1 $28\pi\,\mathrm{cm}^3$　**2** $29\pi\,\mathrm{cm}^3$　**3** $30\pi\,\mathrm{cm}^3$　**4** $31\pi\,\mathrm{cm}^3$
5 $32\pi\,\mathrm{cm}^3$

② 表面積を次のうちから選びなさい。

1 $29\pi\,\mathrm{cm}^2$　**2** $30\pi\,\mathrm{cm}^2$　**3** $31\pi\,\mathrm{cm}^2$　**4** $32\pi\,\mathrm{cm}^2$
5 $33\pi\,\mathrm{cm}^2$

答

特訓問題 2

下図の色のついた部分を直線 l を軸として 1 回転したときにできる立体について，以下の問いに答えなさい。

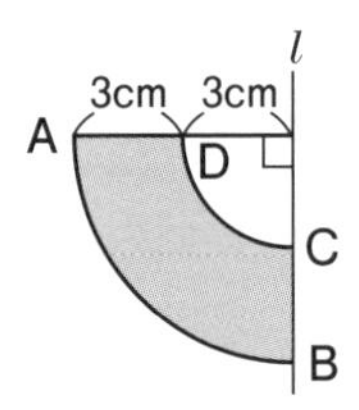

① 体積を次のうちから選びなさい。

1 $125\pi\,\mathrm{cm}^3$ **2** $126\pi\,\mathrm{cm}^3$ **3** $127\pi\,\mathrm{cm}^3$ **4** $128\pi\,\mathrm{cm}^3$
5 $129\pi\,\mathrm{cm}^3$

② 表面積を次のうちから選びなさい。

1 $114\pi\,\mathrm{cm}^2$ **2** $115\pi\,\mathrm{cm}^2$ **3** $116\pi\,\mathrm{cm}^2$ **4** $117\pi\,\mathrm{cm}^2$
5 $118\pi\,\mathrm{cm}^2$

答

特訓問題 3

底面の半径が 4 cm，高さが 8 cm の円柱に，半径 4 cm の球がちょうどおさまっています。このとき，次の問いに答えなさい。

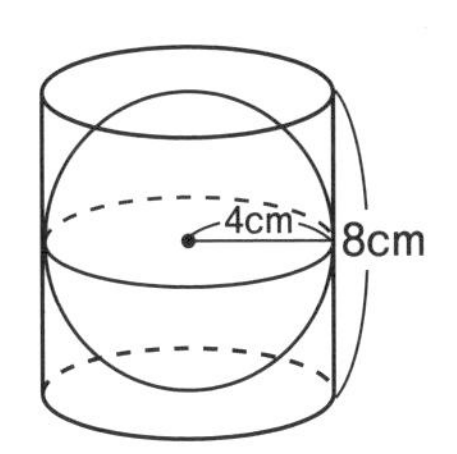

① 球と円柱の体積の比を次のうちから選びなさい。

1 1：2　**2** 1：3　**3** 2：3　**4** 2：5　**5** 3：4

答

② 球の表面積と円柱の側面積の比を次のうちから選びなさい。

1 1：1　**2** 1：2　**3** 1：3　**4** 2：3　**5** 3：4

答

解答・解説

特訓問題 1

① 円錐部分の体積は，$\frac{1}{3} \times \pi \times 3^2 \times 4 = 12\pi \text{ cm}^3$

半球部分の体積は，$\frac{4}{3} \times \pi \times 3^3 \div 2 = 18\pi \text{ cm}^3$

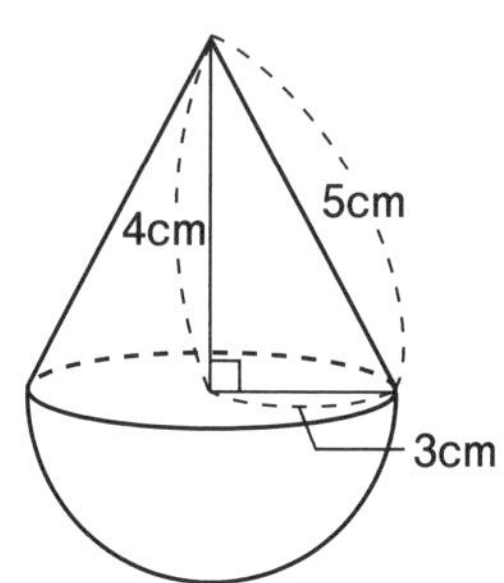

したがって，この立体の体積は，
$12\pi + 18\pi = 30\pi \text{ cm}^3$ となります。

正解 3

② この立体の表面積のうち，円錐部分は，$\pi \times 3 \times 5 = 15\pi \text{ cm}^2$

半球部分は，$4 \times \pi \times 3^2 \div 2 = 18\pi \text{ cm}^2$

したがって，この立体の表面積は，
$15\pi + 18\pi = 33\pi \text{ cm}^2$ となります。

正解 5

特訓問題 2

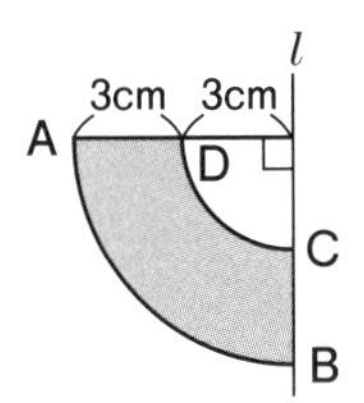

① 弧 AB を 1 回転すると，半径 6 cm の半球ができます。

その体積は，$\frac{4}{3}\times\pi\times6^3\div2=144\pi\,\text{cm}^3$ となります。

弧 DC を 1 回転すると，半径 3 cm の半球ができます。

その体積は，$\frac{4}{3}\times\pi\times3^3\div2=18\pi\,\text{cm}^3$ となります。

したがって，この立体の体積は，
$144\pi-18\pi=126\pi\,\text{cm}^3$ とわかりました。

正解 2

② 弧 AB を 1 回転すると，半径 6 cm の半球ができます。
その表面積は，$4\times\pi\times6^2\div2=72\pi\,\text{cm}^2$ となります。
弧 DC を 1 回転すると，半径 3 cm の半球ができます。
その表面積は，$4\times\pi\times3^2\div2=18\pi\,\text{cm}^2$ となります。
線分 AD を 1 回転すると，半径 6 cm の円から半径 3 cm の円をひいた形なので，面積は，
$\pi\times6^2-\pi\times3^2=27\pi\,\text{cm}^2$ となります。
したがって，この立体の表面積は，
$72\pi+18\pi+27\pi=117\pi\,\text{cm}^2$ とわかりました。

正解 4

特訓問題３

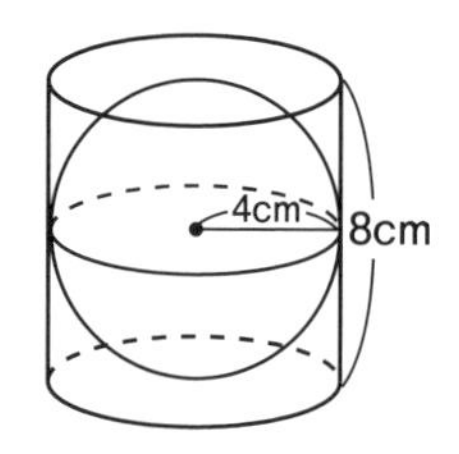

① 球の体積は，$\frac{4}{3} \times \pi \times 4^3 = \frac{256}{3} \pi \text{ cm}^3$ となります。

円柱の体積は，$\pi \times 4^2 \times 8 = 128 \pi \text{ cm}^3$ となります。

したがって，球と円柱の体積の比は，

$$\frac{256}{3} \pi : 128 \pi = 2 : 3$$

とわかりました。

正解 3

② 球の表面積は，$4 \times \pi \times 4^2 = 64 \pi \text{ cm}^2$ となります。
円柱の側面積は，$2 \times \pi \times 4 \times 8 = 64 \pi \text{ cm}^2$ となります。
したがって，球の表面積と円柱の側面積の比は，
$64 \pi : 64 \pi = 1 : 1$　とわかりました。

正解 1

数的推理
18

空間図形

見取り図と展開図が正しく描けるように練習しよう！

STEP1 まずは，例題を解いてみよう！

下図の立方体の面 ABCD にはア，面 BFGC にはイの文字が書かれています。

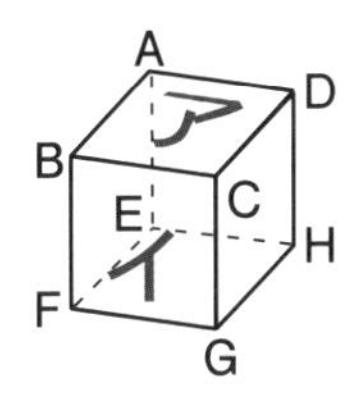

下の展開図にア，イの文字を，位置も向きも正しくなるように書き入れなさい。

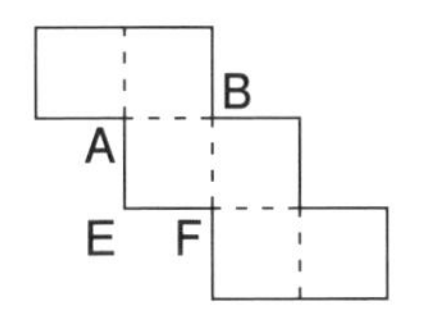

STEP2 解説を読んで，ポイントをつかもう！

立体における見取り図と展開図の面の関係を正しくつかむには，見取り図にある頂点の記号を展開図に正しく記入することが大切です。では，点Aの周りから考えていきましょう。

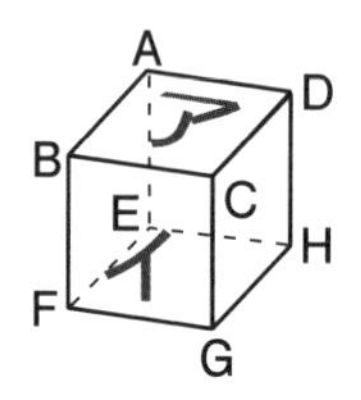

Aの左の頂点は，折り返したときEと重なりますのでEと記入します。するとAの周りの3つの頂点のうちB，Eは記入しましたので残りは見取り図よりDとわかります(図1)。

そして，左上の頂点は，DとEからいけるA以外の頂点ですから，見取り図よりHとわかります。

このように，すでに決まっている頂点から連結しているところを順次決めていきます。たとえば右上の頂点はB，Dと連結していてAではないところなので，見取り図よりCとわかります。このようにしてすべての頂点を記入したのが図2です。それでは，アとイを辺と頂点に注意して図の中に書き入れてみると図3のようになります。

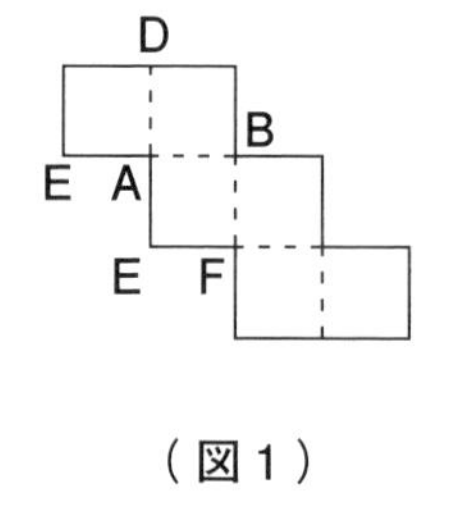

（図1）

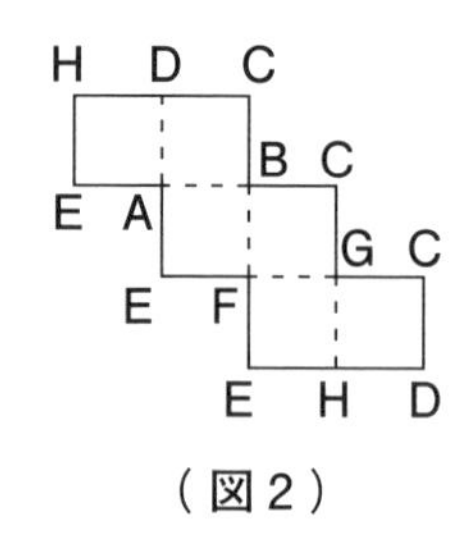

（図2）

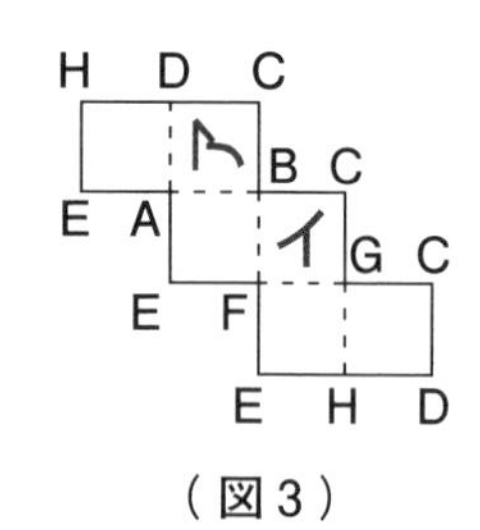

（図3）

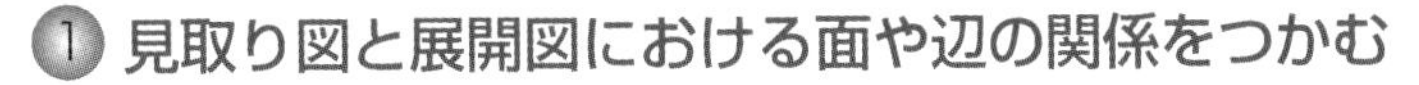

① 見取り図と展開図における面や辺の関係をつかむ

立体において見取り図と展開図における面や辺の関係を正しくつかむためには，見取り図の頂点の記号を展開図にも書き入れてから考えるのが一般的です。その際，見取り図の中に記号のない頂点があるときは，自分で適当な記号をつければよいでしょう。
展開図に頂点の記号を記入するときは，その頂点からどの頂点に辺が連結しているかを見取り図で確認しながら記入すると短時間で正確に記入することができます。

② 立体を平面で切った切り口を考える

立体を平面で切った切り口を考えるときは，平面と，立体の各面との交わりの線を見取り図に記入することが必要です。
その際，**“2 つの平行な面とある平面とが交わってできる 2 本の直線は平行である”**ということが大変役に立ちます。

STEP3　特訓問題を解いて，しっかり理解しよう！

特訓問題 1

次の立方体の展開図を組み立てたとき，側面に左から順に「さんすう」と並ぶようにしたい。○のところには，さんすうのうち，どの文字をどのような向きに書いたらよいでしょうか。次のうちから選びなさい。

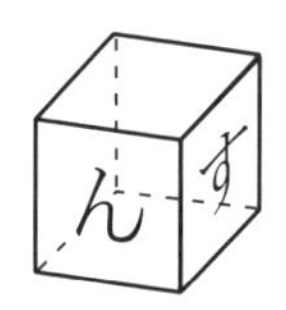

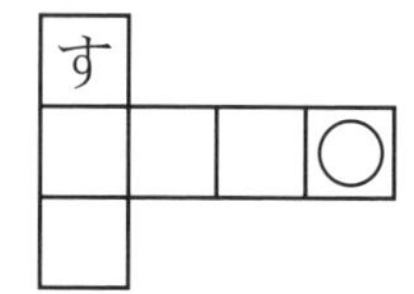

1

2
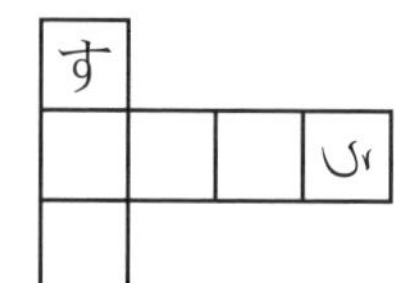

3
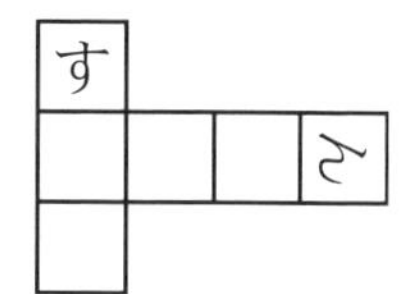

4
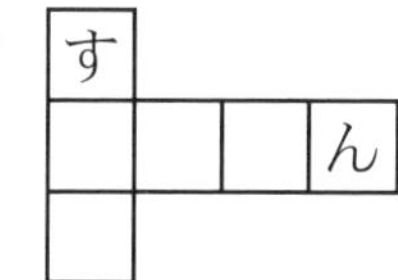

5
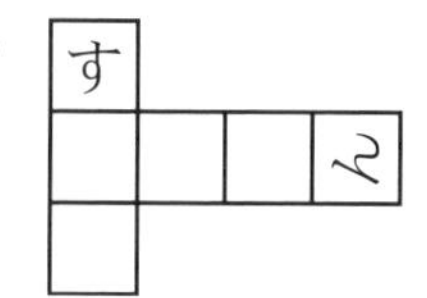

答

特訓問題 2

下図のような 1 辺の長さが 2 の正三角形を底面とし，高さが 3 の三角柱がある。頂点 A，B，C を通る平面でこの三角柱を切断するときの断面積を次のうちから選びなさい。

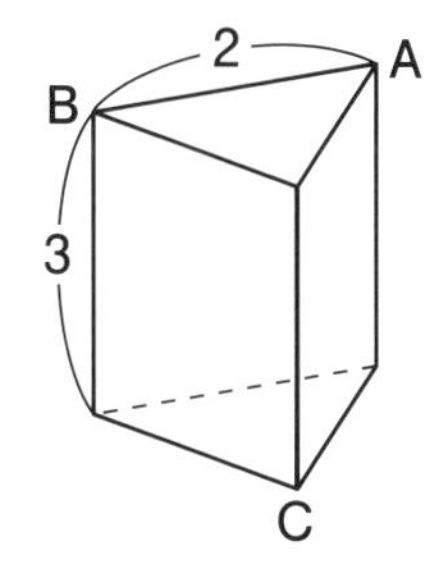

1 3　**2** $2\sqrt{3}$　**3** 4　**4** $2\sqrt{5}$　**5** $\sqrt{6}$

答

特訓問題 3

下図の立方体を，3 点 P，Q，A を通る平面で切るとき，その切り口を表す線を展開図の中に書き入れると，次の 1 ～ 5 のうちどれになりますか。ただし，点 P，Q はともに辺の中点とします。

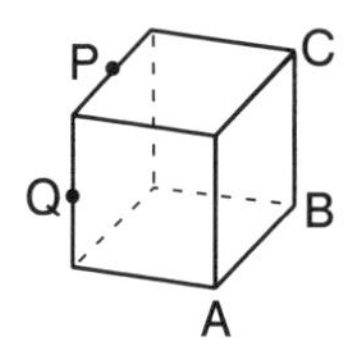

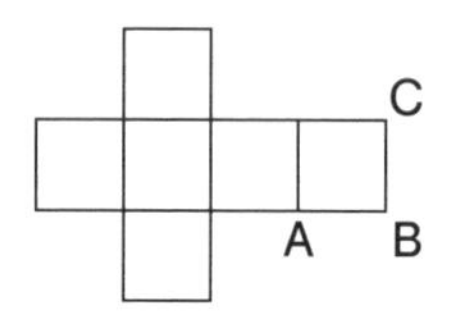

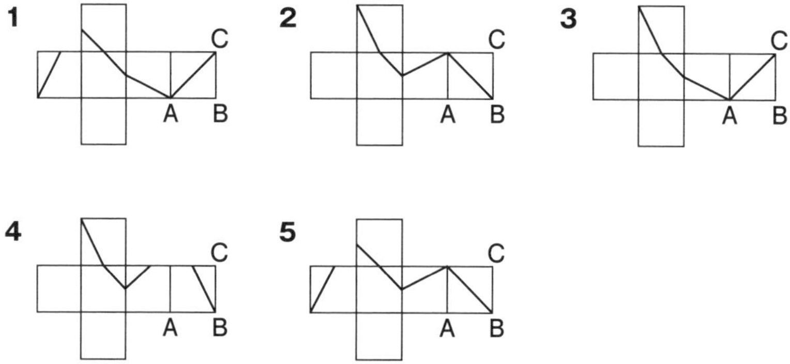

1

2

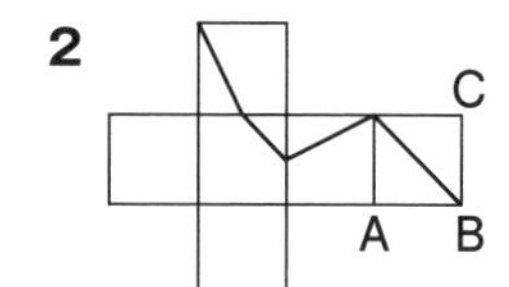

3

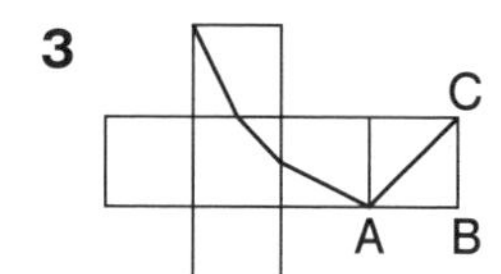

4

5

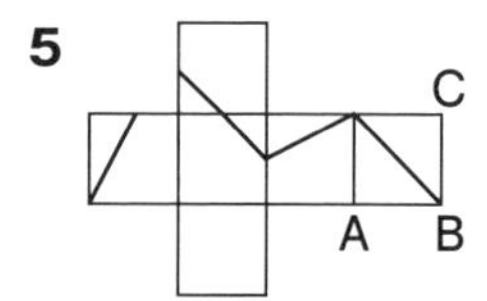

答

解答・解説

特訓問題 1

立方体の見取り図と展開図に頂点の記号を適当に記入していきます。

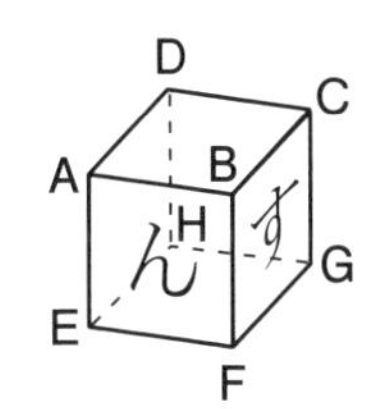

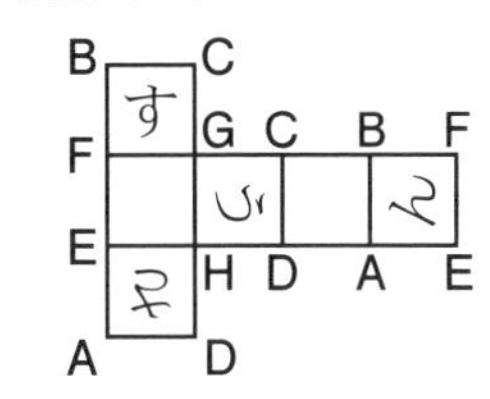

したがって，書き込む文字は ゑ とわかりました。

正解 5

特訓問題 2

三平方の定理より，$BC^2 = 3^2 + 2^2 = 13$

だから，$BC = \sqrt{13}$

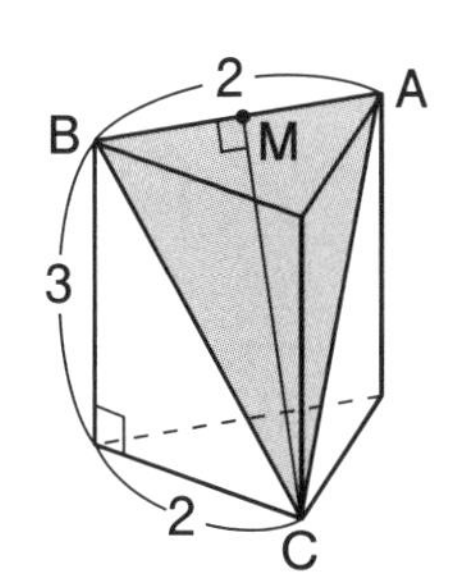

三角形ABCはAC＝BCの二等辺三角形ですから，辺ABの中点をMとすると，$\angle BMC = 90°$です。

したがって，直角三角形BMCに三平方の定理を用いると，$BC^2 = BM^2 + MC^2$より，$MC^2 = BC^2 - BM^2 = 13 - 1 = 12$だから，$MC = 2\sqrt{3}$

したがって，断面積$\triangle ABC = 2 \times 2\sqrt{3} \div 2 = 2\sqrt{3}$　とわかりました。

正解 2

特訓問題 3

見取り図の各頂点に適当な記号をつけ，線分 PQ と線分 QA を見取り図上に書き込んでみます(図 1)。2 点 P，Q は各辺の中点ですから，直線 PQ と直線 CA は平行になります。

したがって，切り口を表す線を見取り図に書き込むと，図 2 のようになります。

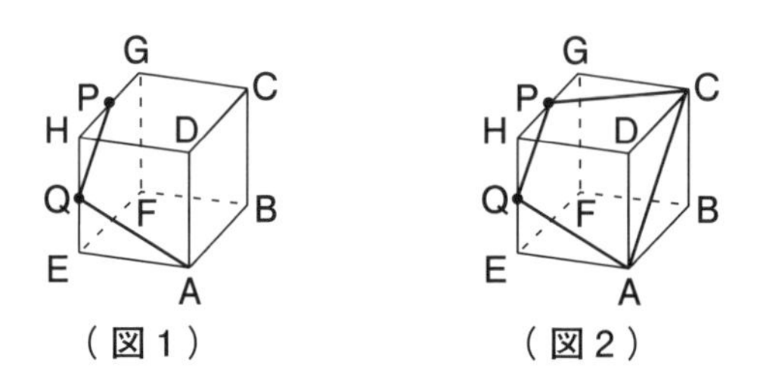

（図 1）　　（図 2）

次に，図 2 の記号と線を展開図に記入していきましょう。

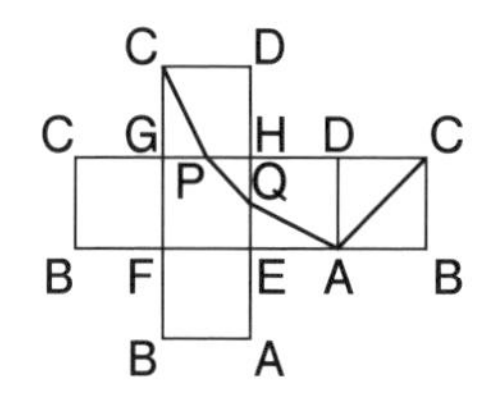

以上より，切り口を表す線は下図のようになります。

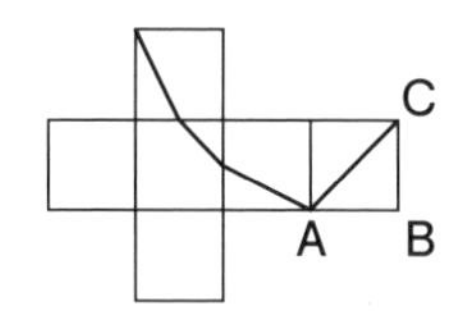

正解 3

数的推理 19

多角形

内角と外角の大きさの求め方を整理しよう！

STEP1 まずは，例題を解いてみよう！

【例題 1】 凸九角形の内角の和を求めなさい。

【例題 2】 正十角形の 1 つの外角の大きさを求めなさい。

STEP2 解説を読んで，ポイントをつかもう！

多角形の内角について

下図の六角形を，頂点 A から対角線をひいていくつかの三角形に分割してみます。すると，頂点 A に隣接していない辺(6 − 2 = 4 つ)を底辺とする三角形が 4 個できます。ここで，三角形の内角の和は 180°ですから，この六角形の内角の和は，180°× 4 = 720° とわかりました。

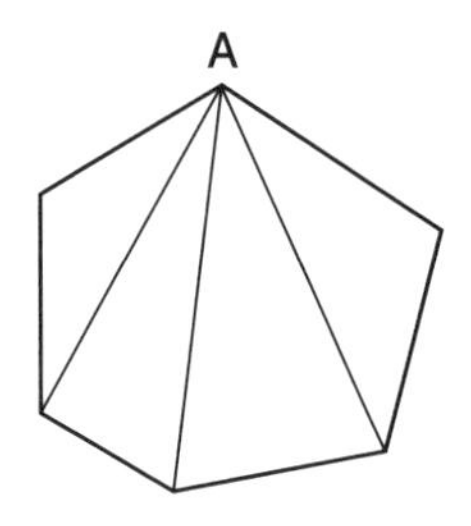

この考え方を一般の n 角形に応用してみましょう。

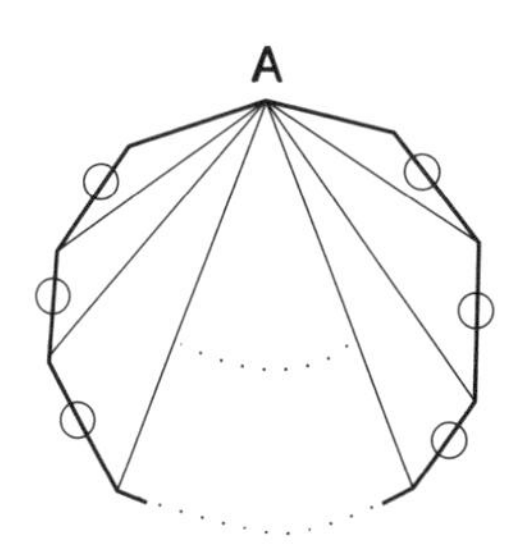

まず，頂点 A から対角線をひいていくつかの三角形に分割してみます。すると頂点 A に隣接していない辺を底辺とする三角形が，$(n-2)$個できます。

したがって，**n 角形の内角の和**は，180°×$(n-2)$となります。

そこで，この【例題 1】の解答は，180°×(9 − 2)＝ **1260°**となります。

答 1260°

多角形の外角について

次図の六角形の外角①～⑥を 1 ヵ所に集めてみると，ちょうど 1 回転して，六角形の外角の和は 360°であることがわかります。これは一般の n 角形でも変わりません。つまり，n 角形の外角の和は n の値にかかわらず，常に 360°となるわけです。

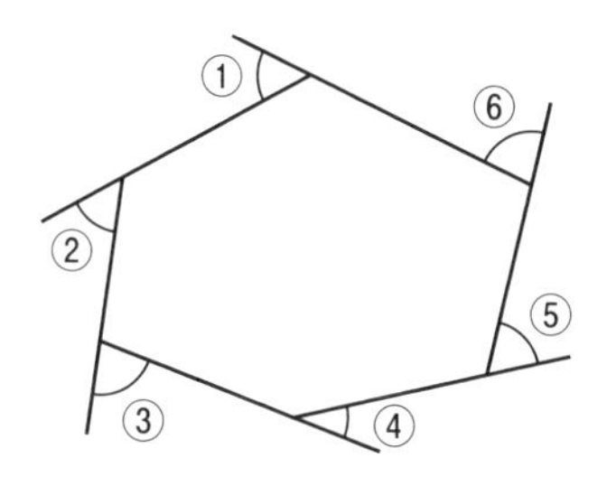

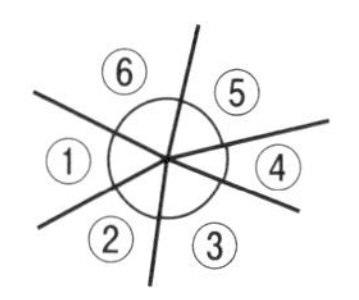

正多角形においては，各項点における内外角はどの頂点でも同じなので，この【例題2】の解答は，360°÷ 10 = **36°**となります。

答 36°

解き方のポイント

1 多角形の内角に関しての重要事項の確認

① **凸 n 角形の内角の和は，**180°×(n − 2)

凸 n 角形の1つの頂点から対角線をひくと，n − 2個の三角形に分割できます。1つの三角形の内角の和は180°ですから凸 n 角形の内角の和は，180°×(n − 2)となるわけです。

② **正 n 角形の1つの内角の大きさは，**180°×(n − 2)÷ n

①より，凸 n 角形の内角の和は，180°×(n − 2)です。正 n 角形の n 個の内角はどれも同じ大きさですから，1つの内角の大きさは，180°×(n − 2)÷ n となるわけです。

2 多角形の外角に関しての重要事項の確認

① **凸 n 角形の外角の和は，常に**360°

凸多角形の外角は，何角形でもすべてを1ヵ所に集めると必ず1回転しますので，n 角形の外角の和は，**常に**360°となるわけです。

② **正 n 角形の1つの外角の大きさは，**360°÷ n

①より，n 角形の外角の和は常に360°です。正 n 角形の n 個の外角はどれも同じ大きさですから，1つの外角の大きさは，360°÷ n となるわけです。

STEP3 特訓問題を解いて，しっかり理解しよう！

特訓問題 1

1 つの内角と 1 つの外角の大きさの比が 5：1 である正多角形は正何角形ですか。次のうちから選びなさい。

1 正八角形　**2** 正九角形　**3** 正十角形　**4** 正十一角形
5 正十二角形

答

特訓問題 2

下図の正五角形 ABCDE において，線分 AC と BD との交点を F とするとき，∠ BFC の大きさを次のうちから選びなさい。

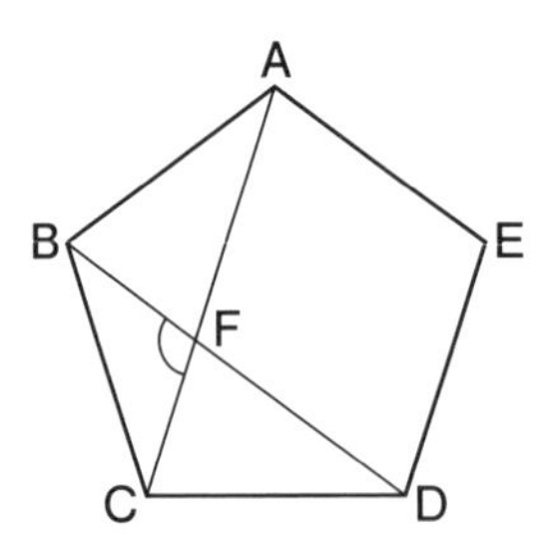

1 102°　**2** 104°　**3** 106°　**4** 108°　**5** 110°

答

特訓問題 3

下図のように，円に正三角形と正五角形が内接している。$\angle x$ の大きさを次のうちから選びなさい。

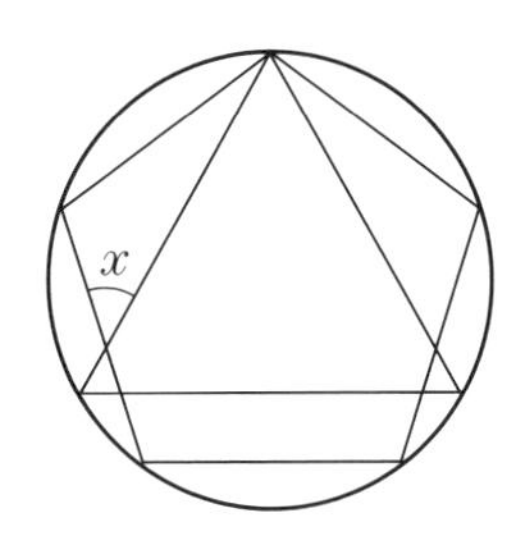

1 44° **2** 46° **3** 48° **4** 50° **5** 52°

答

解答・解説

特訓問題 1

各頂点における内角と外角の和は常に 180°です。内角と外角の比が 5：1 ですから，1 つの外角の大きさは，$180° \times \frac{1}{6} = 30°$ となります。

正 n 多角形の 1 つの外角の大きさは，$360° \div n$ ですから，$360° \div n = 30°$となります。

したがって，$n = 360° \div 30° = 12$ となるので，正十二角形とわかりました。

正解 5

特訓問題 2

正五角形の内角の和は，$180° \times (5-2) = 540°$ です。

したがって，1つの内角の大きさは，$540° \div 5 = 108°$となりますので，$\angle ABC = 108°$とわかりました。ここで，正五角形より $AB = BC$ ですから，三角形 ABC は二等辺三角形です。

そこで，$\angle BAC = \angle BCA$（底角）より，

$\angle BCA = (180° - 108°) \div 2 = 36°$となります。

また，$\angle BCD = 108°$より三角形 BCD においても同様に計算すると，

$\angle CBD = (180° - 108°) \div 2 = 36°$となります。

以上より，三角形 FBC において，$\angle BCF = \angle CBF = 36°$ ですから，

$\angle BFC = 180° - 36° - 36° = 108°$ とわかりました。

正解 4

特訓問題 3

まず，各頂点を下図のように定めます。

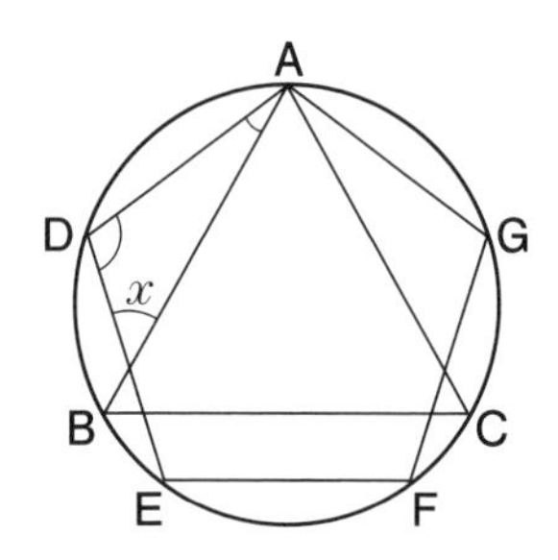

$\angle ADE$ は正五角形の内角より，$180° \times (5-2) \div 5 = 108°$です。

ここで，$\angle DAB = \angle GAC$，$\angle BAC = 60°$，$\angle DAG = 108°$より，

$\angle DAB = (108° - 60°) \div 2 = 24°$

したがって，$\angle x = 180° - 108° - 24° = 48°$ とわかりました。

正解 3

数的推理
20

回転体

回転体は回転軸で回す図形を折り返した図をもとに考えてみよう。

STEP 1 まずは，例題を解いてみよう！

図の台形を，直線 ℓ を軸に 1 回転してできる立体の体積を求めなさい。

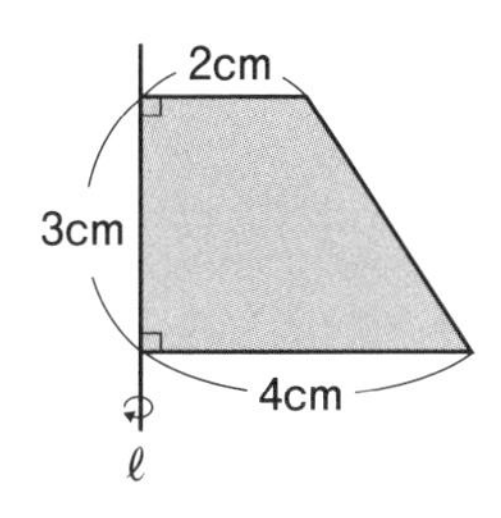

STEP2 解説を読んで，ポイントをつかもう！

下図の x を求めます。

$\triangle$ ADE $\backsim \triangle$ ABC より，

AD：AB ＝ DE：BC

$x : (x+3) = 2 : 4$

$4x = 2(x+3)$

$4x = 2x + 6$

$x = 3$

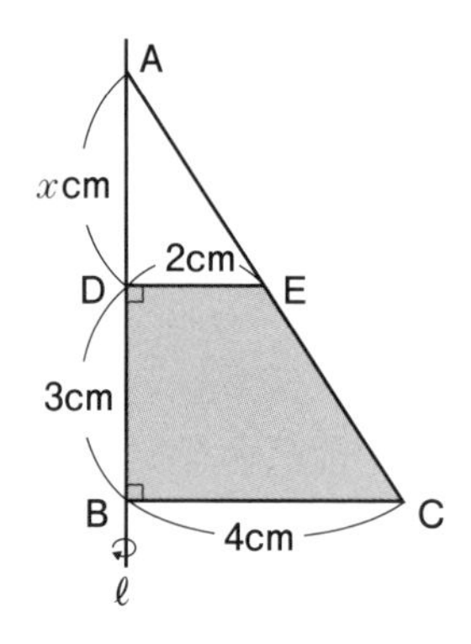

したがって，図の色のついた部分を ℓ を軸に回転させると，下図のような円錐台になります。

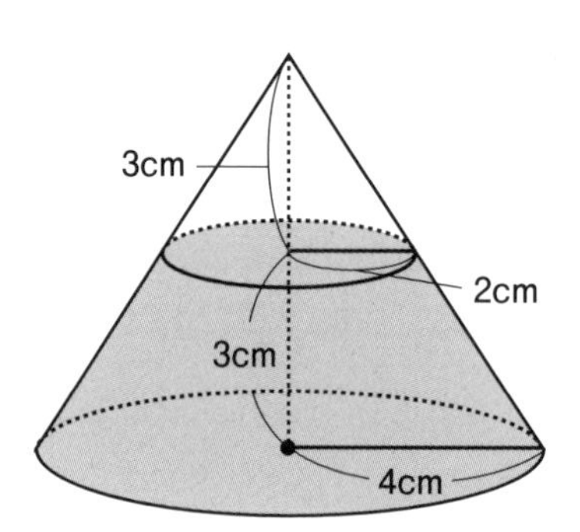

円錐台とは，大きい円錐から上方の小さい円錐を除いたものなので，体積は，

$$(4\times4\times\pi)\times6\times\frac{1}{3}-(2\times2\times\pi)\times3\times\frac{1}{3}=32\pi-4\pi$$

$$=28\pi\,(\mathrm{cm}^3)$$

とわかりました。

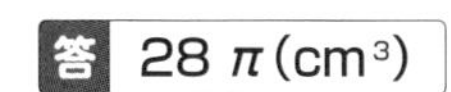

回転体は円柱，円すい，球を組み合わせた形になります。次の体積の公式を覚えましょう。

半径 r，高さ h のとき

①円柱の体積：$\pi r^2 h$

②円錐の体積：$\frac{1}{3}\pi r^2 h$

③球の体積：$\frac{4}{3}\pi r^3$

特訓問題を解いて，しっかり理解しよう！

特訓問題 1

図の直角三角形を直線 ℓ を軸に 1 回転してできる立体の体積として正しいものはどれでしょうか。次のうちから選びなさい。

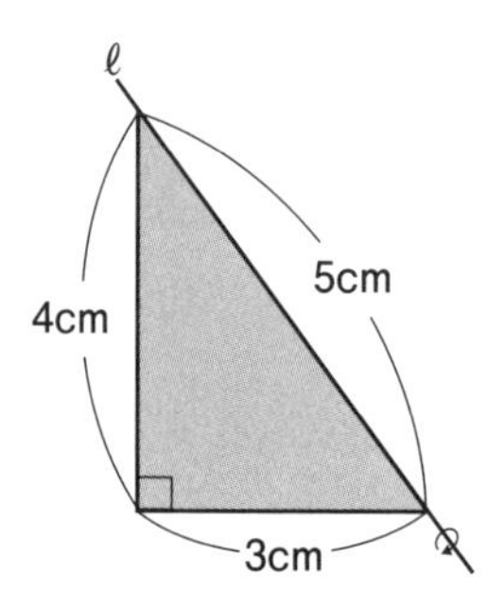

1 $\dfrac{44}{5}\pi\,\mathrm{cm}^3$　**2** $\dfrac{48}{5}\pi\,\mathrm{cm}^3$　**3** $\dfrac{52}{5}\pi\,\mathrm{cm}^3$　**4** $\dfrac{56}{5}\pi\,\mathrm{cm}^3$

5 $12\pi\,\mathrm{cm}^3$

答

特訓問題 2

図の立方体における太線 ABCD の部分には針金が張ってあります。いま，BD を軸として針金 ABCDA を回転させたときにできる立体を，軸 BD を含む平面で切断したときの切り口はどのようになりますか。次のうちから選びなさい。

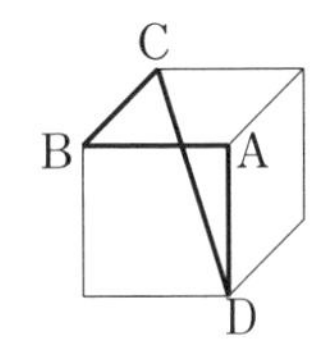

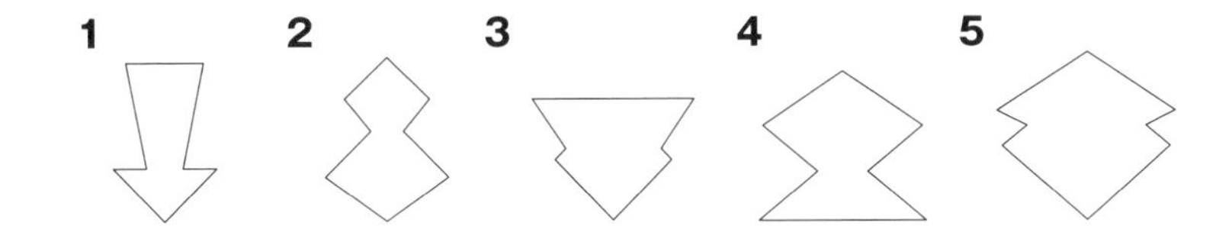

特訓問題 3

縦 2 cm，横 4 cm の長さの長方形を図のように A と B を通る直線 ℓ を軸に 1 回転させたときにできる立体の体積として正しいものはどれでしょうか。次のうちから選びなさい。

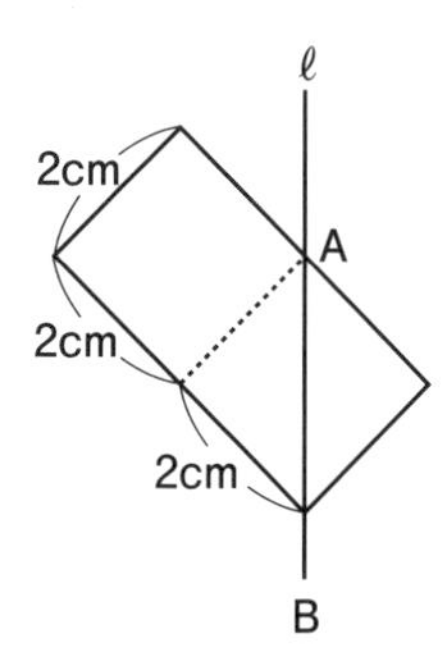

1 $4\sqrt{2}\,\pi\,\mathrm{cm}^3$　**2** $\dfrac{13}{2}\sqrt{2}\,\pi\,\mathrm{cm}^3$　**3** $\dfrac{28}{3}\sqrt{2}\,\pi\,\mathrm{cm}^3$

4 $5\pi\,\mathrm{cm}^3$　**5** $\dfrac{16}{3}\pi\,\mathrm{cm}^3$

答

解答・解説

特訓問題 1

図の x, y を求めます。

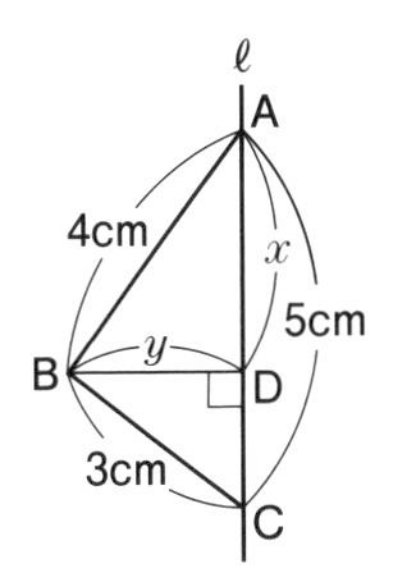

$\triangle$ ABC ∽ $\triangle$ ADB より,

$$5:4=4:x$$
$$5x=16$$
$$x=\frac{16}{5}$$
$$5:3=4:y$$
$$5y=12$$
$$y=\frac{12}{5}$$

したがって, 図の直角三角形を ℓ を軸に回転させると下図のような2つの円錐を合わせた図形になります。

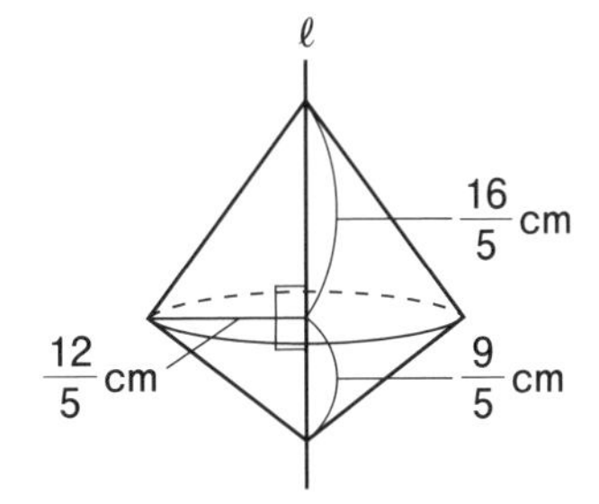

したがって, 求める体積は,

$$\pi\times\left(\frac{12}{5}\right)^2\times\frac{16}{5}\times\frac{1}{3}+\pi\times\left(\frac{12}{5}\right)^2\times\frac{9}{5}\times\frac{1}{3}$$
$$=\pi\times\frac{144}{25}\times\frac{16}{5}\times\frac{1}{3}+\pi\times\frac{144}{25}\times\frac{9}{5}\times\frac{1}{3}$$
$$=\pi\times\frac{144}{25}\times\frac{1}{3}\times\left(\frac{16}{5}+\frac{9}{5}\right)$$
$$=\pi\times\frac{144}{25}\times\frac{1}{3}\times5=\frac{48}{5}\pi(\mathrm{cm}^3)$$

とわかりました。

正解 2

特訓問題 2

針金 ABCDA が同じ平面にないのでわかりにくい問題です。

その場合には，△ ABD，△ CBD を別々に BD を軸にして回転させた立体を合体させたものを考えればよいでしょう。

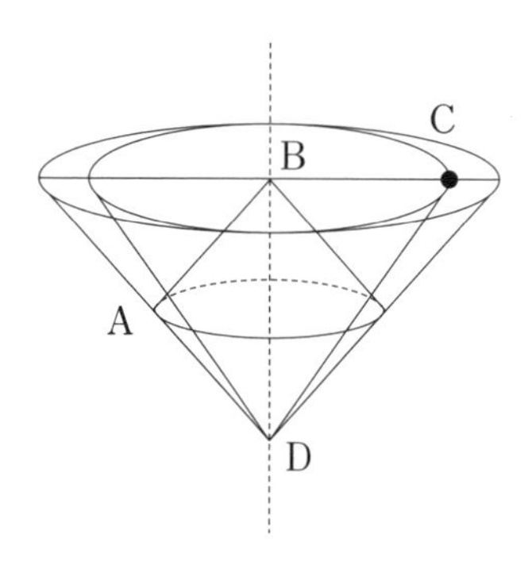

この立体をＢＤを含む平面で切ると次のような断面図になります。図でＡＢ＝１とすると，ＢＤ＝$\sqrt{2}$，ＢＣ＝１です。

ＤＦの延長線とＢＸの交点をＥとすると，ＢＥ＝$\sqrt{2}$です。したがって，ＢＥ＞ＢＣとなります。

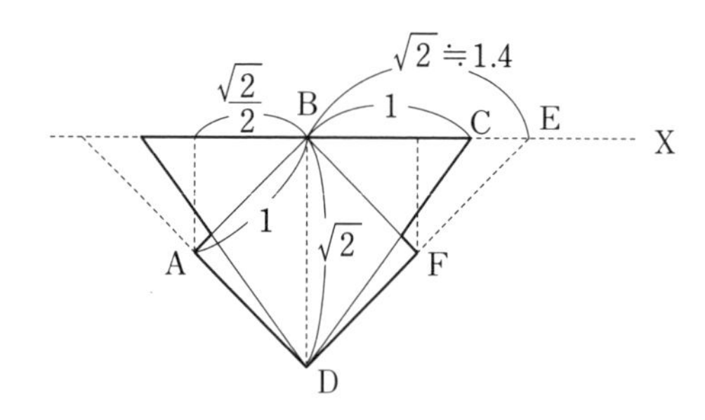

よって正解は **3** です。

正解 3

特訓問題 3

できあがる立体は，図1のようになります。各辺の長さは，直角二等辺三角形の各辺の長さの比を用いて求めることができます。

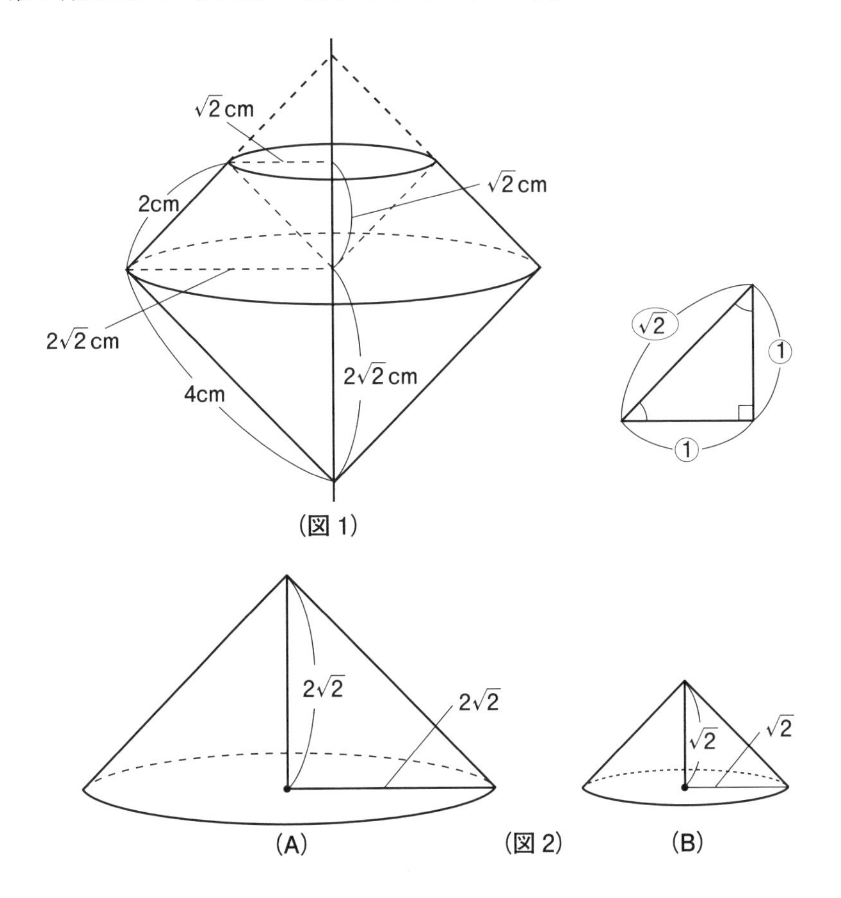

(図 1)

(A) (図 2) (B)

求める体積は，半径 $2\sqrt{2}$ cm の円を底面とする高さ $2\sqrt{2}$ cm の直円錐(A) 2つ分から，半径 $\sqrt{2}$ の円を底面とする高さ $\sqrt{2}$ の直円錐(B) 2つ分を引いたものになります(図2)。

したがって，求める体積 V は，

$$V = 2\left(\frac{1}{3} \times 8\pi \times 2\sqrt{2} - \frac{1}{3} \times 2\pi \times \sqrt{2}\right) = \frac{28}{3}\sqrt{2}\,\pi\ (\mathrm{cm}^3)$$

よって正解は **3** です。

正解 3

虫食い算

1の位の数字と桁数に着目して考えよう！

STEP1 まずは，例題を解いてみよう！

aに入る数字はいくつですか。

$$
\begin{array}{r}
\square 2 \square \\
\times \quad 3\,9 \\
\hline
\square \square 8\,9 \\
2\,a \square \square \\
\hline
2\,8\,1\,1\,9
\end{array}
$$

STEP2 解説を読んで，ポイントをつかもう！

	ア	2	イ
×		3	9
	ウ	エ	8	9
2	a	オ	カ	
2	8	1	1	9

□に左のようにア～カの記号を入れます。
イ×9の一の位が9より，
　イ＝1
イ＝1より，
　カ＝3，オ＝6
8＋カ＝8＋3＝11より，1繰り上がるので，
　エ＋オ＝10
よって，
　エ＝4
2×9＝18より，1繰り上がるので，
ア×9の1の位は，
　エ－1＝4－1＝3
よって，
　ア＝7，ウ＝6
エ＋オ＝4＋6＝10より，1繰り上がるので，
　ウ＋a＝6＋a＝7
したがって，**a＝1**とわかりました。

答 a＝1

解き方のポイント

□の数(桁数)と1の位の数字に注意すると，□のうちのいくつかは数字を定めることができます。まずは，わかりやすい所から数字をうめていきましょう。

STEP3 特訓問題を解いて，しっかり理解しよう！

特訓問題 1

a に入る数字はいくつでしょうか。次のうちから選びなさい。

```
   1□□
×  □9
------
   □□1
  □□6
------
  a□□1
```

1 2　**2** 3　**3** 4　**4** 5　**5** 6

特訓問題 2

a に入る数字はいくつでしょうか。次のうちから選びなさい。

```
        □□
    ------
 28 )1 a□4
      □□
    ------
      □□4
      □□4
    ------
         0
```

1 0　**2** 1　**3** 2　**4** 3　**5** 4

答

特訓問題 3

a に入る数字はいくつでしょうか。次のうちから選びなさい。

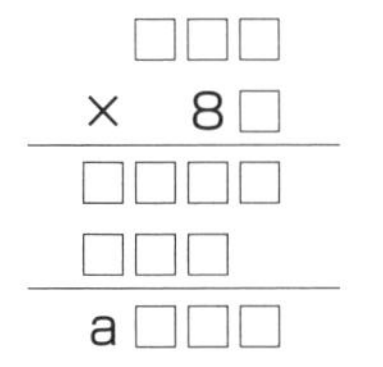

1 5　**2** 6　**3** 7　**4** 8　**5** 9

解答・解説

特訓問題 1

□に下のようにア～ケの記号を入れます。

```
    1アイ
 ×   ウ9
 ───────
    エオ1
  カキ6
 ───────
  aクケ1
```

イ×9の一の位が1より，イ＝9
9×ウの一の位が6より，ウ＝4
(1ア9)×9が3桁の数より，ア＝0
したがって，

```
    109
 ×   49
 ───────
    981
  436
 ───────
  5341
```

a＝5とわかりました。

正解 4

特訓問題 2

□に下のようにア～ケの記号を入れます。

```
          アイ
    ─────────
 28 ) 1 a ウ 4
       カキ
   ──────────
       クケ4
       クケ4
   ──────────
           0
```

[クケ] は 27 以下より，
[カキ] ＝ 28 ×アは，73 ≦ 28 ×ア≦ 99 を満たします。

$$\frac{73}{28} \leqq ア \leqq \frac{99}{28}$$

$$2\frac{17}{28} \leqq ア \leqq 3\frac{15}{28}$$

これより　ア＝3
28 ×イの一の位が 4 でかつ 3 桁の数になるので，

イ＝8

すると下のように数字が決まります。

```
          3 8
    ─────────
 28 ) 1 a ウ 4
       8 4
   ──────────
       2 2 4
       2 2 4
   ──────────
           0
```

ウ－4＝2 より，ウ＝6
[1a] －8＝2 より，a＝0 とわかりました。

正解 1

特訓問題 3

下のようにア～エの記号を代入します。

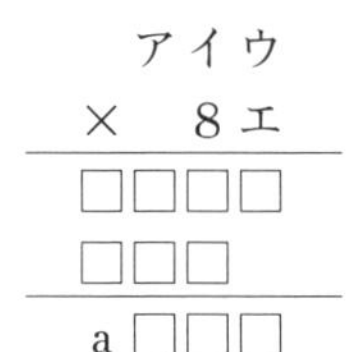

$\boxed{\text{アイウ}}$ ×エは，4 桁の数
$\boxed{\text{アイウ}}$ ×8 は，3 桁の数より，
エ＝9 とわかります。
次に，a のところが繰り上がっていないので，

$$\boxed{\text{アイウ}} \times 8 < 900 \text{ より，}$$

$$\boxed{\text{アイウ}} < 112\frac{1}{2} \quad \cdots\cdots①$$

$$\boxed{\text{アイウ}} \times 9 > 1000 \text{ より，}$$

$$\boxed{\text{アイウ}} > 111\frac{1}{9} \quad \cdots\cdots②$$

①，②より，

$$111\frac{1}{9} < \boxed{\text{アイウ}} < 112\frac{1}{2}$$

したがって，$\boxed{\text{アイウ}}$ ＝112 となります。

$$\begin{array}{r} 1\ 1\ 2 \\ \times \quad 8\ 9 \\ \hline 1\ 0\ 0\ 8 \\ 8\ 9\ 6\ \ \ \\ \hline 9\ 9\ 6\ 8 \end{array}$$

以上より，a＝9 とわかりました。

正解 5

3ステップ式でラクラク覚える♪

判断推理編

判断推理 1

順序推理

順序の情報を不等号を用いて表そう！

STEP 1 まずは，例題を解いてみよう！

A～Dの４人が駅に着いたときの様子を次のようにいいました。

A「私が駅に着いたら，すでにBがいた」

B「私が駅に着いたとき，Cはまだ着いていなかった」

C「私が駅に着いたとき，Dはいたが，Aはまだ着いていなかった」

この場合，必ずしも正しいとはいえないものは，次の１～５のうちどれでしょうか。

1 Aは最後に着いた。
2 Bは最初に着いた。
3 CよりDが先に着いた。
4 DよりAは後に着いた。
5 BよりCは後に着いた。

STEP2 解説を読んで，ポイントをつかもう！

Aが Bより早く駅に着いたとき，(先)A＜B(後)とかくことにします。

3人の発言を不等号で表すと，次のようになります。

Aの発言

(先)B＜A(後)

Bの発言

(先)B＜C(後)

Cの発言

(先)D＜C＜A(後)

この3つの不等号をまとめると，次の2通りの場合が考えられます。

(先)B＜D＜C＜A(後) …… (a)

(先)D＜B＜C＜A(後) …… (b)

選択肢のうち，1，3，4，5は(a)と(b)のどちらであっても正しいといえますが，**2**は(a)の場合しか正しいとはいえません。

答 2

解き方のポイント

いくつかの順序の情報をそれぞれ不等式で表した後，それらをできるだけ1つの不等式にまとめると，全体の順序が見えてきます。

STEP3　特訓問題を解いて，しっかり理解しよう！

特訓問題 1

A～Dの４人が体重について，次のようにいいました。

　A「私はＣよりも軽い」
　B「私はＡよりも軽い」
　D「私はＡよりも重い」

この場合，正しくいえるのは，次の１～５のうちから選びなさい。

1　一番重いのはＤである。
2　一番重いのはＣである。
3　Ａは軽い方から２番である。
4　ＣはＤよりも重い。
5　ＤはＣよりも重い。

特訓問題 2

A～Eの５人が背の低い順に並んだら，次のことがわかりました。

（ア）ＡとＢはとなり合っていない。
（イ）Ｃは前から３番目だった。
（ウ）ＤはＡより背が高い。
（エ）ＢはＤよりも背が低い。

このとき正しいのは，次の１～５のうちから選びなさい。

1　１番背が低いのはＥである。
2　ＡはＣよりも背が高い。
3　ＢはＡよりも背が低い。
4　ＥはＣよりも背が低い。
5　前から２番目はＥである。

答

特訓問題 3

Ａ～Ｆの６人が社会の成績を比べたところ，次のことがわかりました。

・ＡはＤより成績がよく，Ｆと同じでした。

・Ｃは，Ｂより成績が悪く，Ｅよりもよかった。

このとき，６人の成績の順位がわかるためには，次のどれがわかればいいでしょうか。次のうちから選びなさい。

1　ＡがＣより成績が悪いこと
2　ＣとＤの成績が同じこと
3　ＢがＡより成績がよいこと
4　ＤがＢより成績が悪いこと
5　ＢがＤより成績が悪いこと

答

解答・解説

特訓問題 1

ＡがＢよりも体重が軽いとき，(軽)Ａ＜Ｂ(重)とかくことにします。

３人の発言を不等号を用いて表すと，次のようになります。

Ａの発言：Ａ＜Ｃ

Ｂの発言：Ｂ＜Ａ

Ｄの発言：Ａ＜Ｄ

これらより，Ｂ＜Ａ＜Ｃ，Ａ＜Ｄから，次の２通りの場合が考えられます。

・Ｂ＜Ａ＜Ｄ＜Ｃ

・Ｂ＜Ａ＜Ｃ＜Ｄ

選択肢のうち，この２通りの場合のすべてに当てはまるのは，**3**しかありません。

正解　**3**

特訓問題 2

AがBよりも背が低いとき，(低)A＜B(高)とかくことにします。

条件(ウ)，(エ)より，A＜D，B＜D

そして，(ア)と(イ)の条件を満たす順を考えると，次の4通りの場合が考えられます。

・E＜A＜C＜B＜D
・A＜E＜C＜B＜D
・E＜B＜C＜A＜D
・B＜E＜C＜A＜D

選択肢のうち，この4通りの場合のすべてにあてはまるのは**4**しかありません。

正解 4

特訓問題 3

AがBよりも成績が悪いとき，(悪い)A＜B(よい)とかくことにします。

2つの条件を不等号で表すと，次のようになります。

・D＜A＝F
・E＜C＜B

ここで，選択肢の1～5の条件をそれぞれ不等号で表してみます。

1　A＜C
2　C＝D
3　A＜B
4　D＜B
5　B＜D

この中で5の不等式がわかると，E＜C＜B＜D＜A＝Fとなり，6人の成績の順位がわかります。1～4の条件では，成績の順位は1通りには定まりませんので，正解は**5**となります。

正解 5

判断推理
2

対戦推理

対戦結果を表にして，勝敗の分布を見やすくしよう！

STEP1 まずは，例題を解いてみよう！

A～Dの４チームで野球のリーグ戦が行われ，CはAに敗れましたが，Aと同率になり，Bが全勝で優勝しました。このことから確実にいえるのは次のうちどれでしょう。ただし，引き分けはないものとします。

1　Aは３位だった。
2　DはAに勝った。
3　CはDに負けた。
4　Cは全敗だった。
5　Dは４位だった。

STEP2 解説を読んで，ポイントをつかもう！

まず，Bが全勝したことと，CがAに敗れたので表①の勝敗表ができます。

次に，CとAが同率になるためにはどうなればよいのかを考えます。

表①でみると，Aはすでに1勝しCはすでに2敗していますから，3試合の成績が同率となるためには，1勝2敗でなければならないことになります。

ということは，AがDに敗れ，CがDに勝つしかありません。これを表に書き入れると，表②のようになります。

表①

	A	B	C	D
A		×	○	
B	○		○	○
C	×	×		
D		×		

表②

	A	B	C	D
A		×	○	×
B	○		○	○
C	×	×		○
D	○	×	×	

表②の結果より，選択肢の中で正しいのは2しかありません。

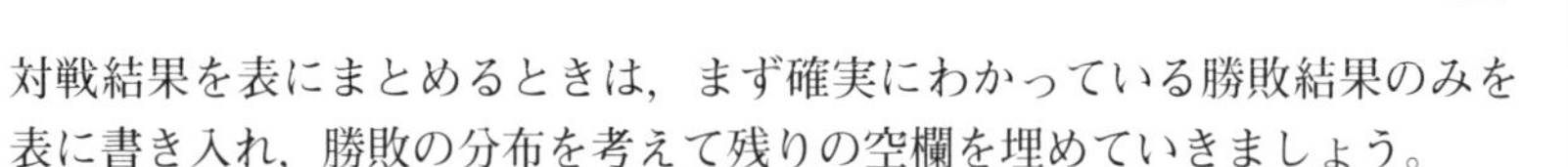

対戦結果を表にまとめるときは，まず確実にわかっている勝敗結果のみを表に書き入れ，勝敗の分布を考えて残りの空欄を埋めていきましょう。

特訓問題を解いて，しっかり理解しよう！

特訓問題 1

A～Eの5チームでソフトボールのリーグ戦をしたところ，次のような結果になりました。

・AはBに勝った。
・CはBに勝った。
・DはCに勝って1勝3敗だった。
・EはAとDに勝って，2勝2敗だった。

このとき，次のうち確実に正しいものを1つ選びなさい。ただし，引き分けはないものとします。

1 AはCに勝った。
2 Cは3勝1敗だった。
3 3勝1敗となったのは，1チームであった。
4 BとCだけが2勝2敗だった。
5 2勝2敗となったのは1チームであった。

答

特訓問題 2

A～Fの6チームでフットサルのリーグ戦が行われ，勝ったチームには2点，引き分けたチームには1点が与えられました。その結果について次のア～カがわかっているものとすると，AチームとFチームの総得点は何点でしょう。次のうちから選びなさい。

ア　AはEと引き分けた。
イ　BはAに負けて3勝2敗だった。
ウ　Cは1勝4敗だった。
エ　Dは全勝して優勝した。
オ　Eは2勝2敗1引き分けだった。
カ　引き分けの試合は2試合で，1勝もできないチームはなかった。

	Aチーム	Fチーム
1	2点	5点
2	3点	4点
3	4点	5点
4	4点	3点
5	5点	2点

特訓問題 3

10 段の階段があります。太郎君と花子さんは，じゃんけんをして勝つと 2 段上がり，負けると 1 段下がるゲームをしました。このゲームをして，5 回勝負で太郎君が 3 勝 2 敗したところ，太郎君は 5 段目，花子さんは 2 段目にいました。一番下にいて負けたときは，そのままそこにいるとします。確実にいえることを次のうちから選びなさい。

1　1 回目に太郎君が勝った。
2　2 回目に太郎君が負けた。
3　3 回目に花子さんが勝った。
4　4 回目に花子さんが勝った。
5　5 回目に太郎君が負けた。

答

解答・解説

特訓問題 1

まず，4 つの条件から勝敗の結果がわかっているところを勝敗表にかきこむと下の表のようになります。

	A	B	C	D	E
A	＼	○		○	×
B	×	＼	×	○	○
C		○	＼	×	○
D	×	×	○	＼	×
E	○	×	×	○	＼

A と C の対戦結果はこの 4 つの条件では判断できません。

したがって，選択肢のうち，確実に正しいのは，A と C のどちらが勝っても 3 勝 1 敗は 1 チームのみとなるので，**3** とわかります。

正解　3

特訓問題 2

条件から勝敗がはっきりとわかっているものを，勝(○)，敗(×)，引き分け(△)で勝敗表に書いてみましょう。

AとEは引き分け，BはAに負け，Dは全勝(A，B，C，E，Fに勝った)ということがわかっています。さらにこの逆の勝敗も記入できます(表①)。

次に引き分けは2試合で，そのうち1試合はAとEの試合とわかっていますから，あと1試合です。B，C，Dは勝敗数がすべてわかっていて，引き分けがなく，Eは1引き分けとありますから，残る引き分けはAとFの試合ということになります(表②)。

表①

	A	B	C	D	E	F
A		○		×	△	
B	×			×		
C				×		
D	○	○	○		○	○
E	△			×		
F				×		

表②

	A	B	C	D	E	F
A		○		×	△	△
B	×			×		
C				×		
D	○	○	○		○	○
E	△			×		
F	△			×		

Bは3勝2敗とありますから，表の空欄C，E，Fとの試合は勝ちと決まります。そしてその反対も決まります(表③)。

すると，Eは2勝2敗1引き分けなので表の空欄C，Fとの試合は勝ちと決まります。そしてその反対も決まります(表④)。

表③

	A	B	C	D	E	F
A		○		×	△	△
B	×		○	×	○	○
C		×		×		
D	○	○	○		○	○
E	△	×		×		
F	△	×		×		

表④

	A	B	C	D	E	F
A		○		×	△	△
B	×		○	×	○	○
C		×		×	×	
D	○	○	○		○	○
E	△	×	○	×		○
F	△	×		×	×	

さらに1勝もしないチームはないのでFはCに勝ちです。Cは1勝4敗なので，残りは勝ちです(表⑤)。

表⑤

	A	B	C	D	E	F
A		○	×	×	△	△
B	×		○	×	○	○
C	○	×		×	×	×
D	○	○	○		○	○
E	△	×	○	×		○
F	△	×	○	×	×	

この表からAとFチームの得点を計算します。
Aは1勝2敗2引き分けなので，4点，Fは1勝3敗1引き分けなので，3点となり正解は**4**です。

正解 4

特訓問題 3

太郎君が 3 勝 2 敗するのは以下の 10 通りです。

	太郎君					花子さん				
①	×	×	○	○	○	○	○	×	×	×
②	×	○	○	×	○	○	×	×	○	×
③	×	○	×	○	○	○	×	○	×	×
④	×	○	○	○	×	○	×	×	×	○
⑤	○	×	○	○	×	×	○	×	×	○
⑥	○	×	○	×	○	×	○	×	○	×
⑦	○	×	×	○	○	×	○	○	×	×
⑧	○	○	×	○	×	×	×	○	×	○
⑨	○	○	×	×	○	×	×	○	○	×
⑩	○	○	○	×	×	×	×	×	○	○

太郎君が 3 勝 2 敗するということは，花子さんは 2 勝 3 敗です。勝つと 2 段上がり，負けると 1 段下がるということを考えて，表から太郎君が 5 段目にいて，花子さんは 2 段目にいたという条件を満たすものを探します。すると，それは④のみとなります。

確かめてみると，次のようになります。

太郎君					花子さん				
×	○	○	○	×	○	×	×	×	○
0	2	4	6	5	2	1	0	0	2

この結果に当てはまる選択肢を選ぶと，**5** になります。

正解 5

判断推理 3

席順推理

相対的な席順の情報をわかりやすく図示してみよう！

STEP 1 まずは，例題を解いてみよう！

ある会社には A ～ F の 6 つの部屋があり，下図のように廊下をはさんで向かい合って並んでいます。C の隣は B で，B の向かいは D です。また，F の隣の部屋の向かいは A です。このとき確実にいえるのはどれでしょう。

廊　下

1　A と C は隣り合っています。
2　A は D と E にはさまれています。
3　B も E も端の部屋です。
4　E は F と向かい合っています。
5　F は中央の部屋です。

STEP2 解説を読んで，ポイントをつかもう！

条件が多く与えられているＢを基準とし，条件にしたがって図を書いて考えてみましょう。

ＢはＣの隣でＤの向かいという条件を満たす場合を考えます（それぞれ図の上下を入れ替えた状態でもかまいませんが，隣や向かいの状況に変化がないので，省略します）。

①
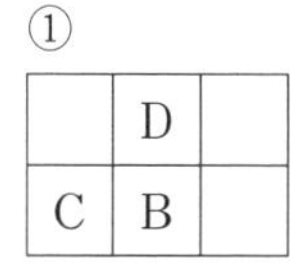

②
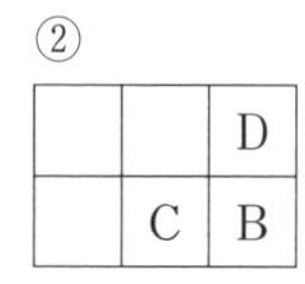

③
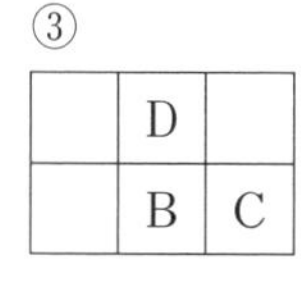

④
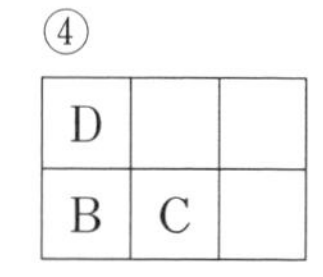

これにＦの隣の部屋の向かい側がＡという条件を当てはめて考えると，①と③は条件を満たすことができないので，ありえないことになります。②と④に他の３つの部屋を書き加えると，

②-1
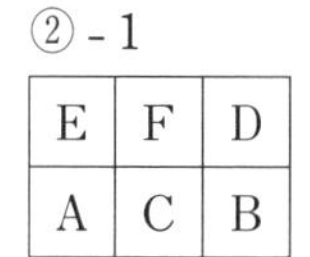

②-2
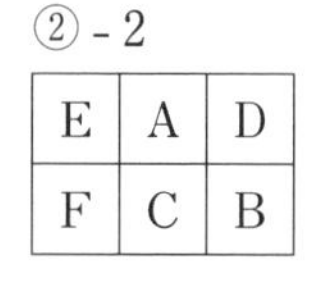

④-1
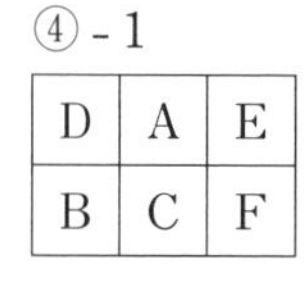

④-2

D	F	E
B	C	A

以上の図から確実にいえることは，ＢとＥのどちらも端の部屋であるということです。

答 3

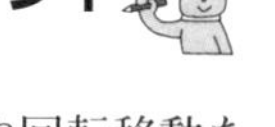

席順の情報は相対的なものが多いので，できるだけ対称移動や回転移動を利用して考える場合の数を少なくしましょう。

STEP3 特訓問題を解いて，しっかり理解しよう！

特訓問題 1

Ａ～Ｆの６人は図のように向き合った列車の座席に座ったところ，次のア～オのようになりました。このとき確実にいえるのはどれでしょうか。次のうちから選びなさい。

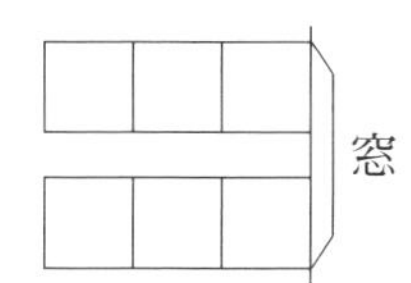

ア　ＡとＣは隣り合っていない。
イ　ＤとＦは隣り合っている。
ウ　Ｄの真正面はＢである。
エ　ＥとＦは同じ側に座った。
オ　Ｅは窓側に座った。

1　Ａは窓側に座っている。
2　ＡとＢは隣り合っている。
3　Ｄは窓側に座っている。
4　ＥとＦは隣り合っている。
5　ＢとＦは向かい合っている。

答

特訓問題 2

喫茶店の円卓に，A～Fの6人が等間隔に座り，コーヒー，紅茶，コーラのいずれかをそれぞれ注文しました。座席と注文した飲み物の状況は次の通りでしたが，このことから確実にいえるのはどれでしょうか。次のうちから選びなさい。

ア　Aの1人おいた隣に座ったEはコーラを注文した。
イ　Bの真向かいはDだった。
ウ　Cの両隣はいずれもコーヒーを注文した。

1　Aはコーヒーを注文した。
2　BはAの1人おいた隣に座った。
3　Eの両隣はDとFだった。
4　Fはコーヒーを注文した。
5　隣同士はそれぞれ異なった飲み物を注文した。

答

特訓問題 3

A～Fの6人は，2人がけのいすが3列ある右ハンドルの自動車で1泊2日の旅行をしました。1日目と2日目で座る場所を変えたところ，次のア～オのようになりました。このとき確実にいえるものはどれでしょう。次のうちから選びなさい。

ア　Bは2日間とも運転をした。
イ　B以外の5人のうちで1人だけは2日間とも同じ席に座った。
ウ　1日目にBの隣でFの斜め前に座った者は，2日目はAの斜め後ろでCの隣に座った。
エ　1日目にBの後ろでAの隣に座った者は，2日目はDの後ろでEの隣に座った。
オ　1日目にEの前でCの斜め前に座った者は，2日目はBの隣に座った。

1　2日目に1日目のAの席に座った者は，Dだった。
2　2日目に1日目のAの席に座った者は，Fだった。
3　2日目に1日目のDの席に座った者は，Aだった。
4　2日目に1日目のDの席に座った者は，Cだった。
5　2日目に1日目のFの席に座った者は，Aだった。

答

解答・解説

特訓問題 1

条件イ，エよりD，E，Fは同じ側に座っていることがわかります。
次に条件オより，Eは窓側より，D，E，Fの3人の座席は，次の2通り考えられます(図の上下を入れ替えたものは隣や向かいの状況に変化がないので省略)。

①の場合
条件ウよりDの真正面をBにすると，残りのAとCが必ず隣り合って条件アに反します。したがって，①の場合には，すべての条件に適する席順はありません。
②の場合
条件アとウより，すべての情報を満たす席順は，次の2通り考えられます。

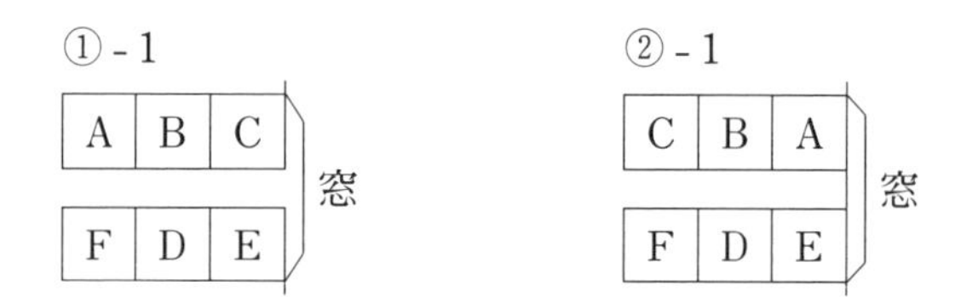

したがって，選択肢の中でこのいずれの場合でも成り立つのは**2**だけです。

正解 2

特訓問題 2

円卓の問題では，どこから始めても同じなので，とりあえず1人の場所を決めて考え始めます。

Aが図(a)の位置に座り，その周りの席に番号をつけると，Eの座った位置は②または④になります。2つの場合に分けて考えます。

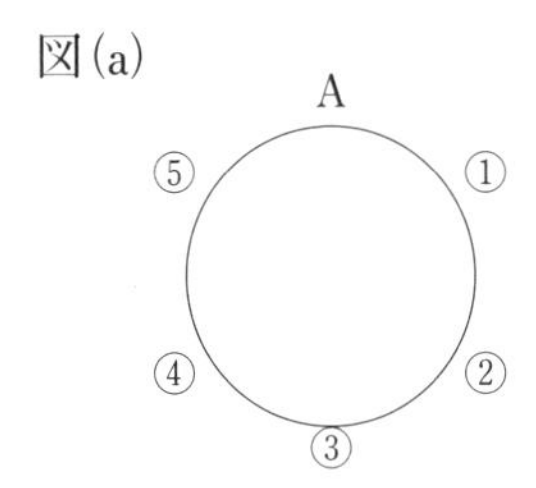

(1)Eが②の場合

BとDは①と④で向かい合うことになりますが，Eは条件からコーラを注文しているので，Cの隣になることはなく，その結果，Cは⑤に座ることになります。そしてその両隣はコーヒーを注文しました。……図(b)

(2)Eが④の場合

BとDは②と⑤で向かい合い，Cは①に座ることになり，その両隣がコーヒーを注文しました。……図(c)

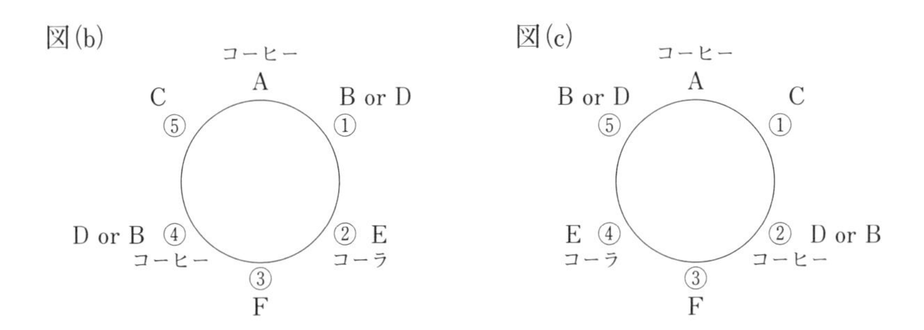

したがって，1～5の選択肢のうちで，図(b)，(c)のいずれの場合でも確実にいえるのは，**1**のAはコーヒーを注文したということだとわかりました。

正解 1

特訓問題３

条件に基づいて，まず１日目の席順を図に表して考えます。
アの条件から運転席はＢと決まります。
次にイの条件はだれとも，どこの席ともありませんので，特定することができません。
ウの条件の者を x とすると１日目は図(a)のようになります。
エの条件の者を y とすると１日目は図(b)のようになります。
オの条件の者を z とすると１日目は図(c)のように３つの場合が考えられますが，(c)-３は(a)（b)の条件と矛盾しますので，(c)-１または(c)-２となります。

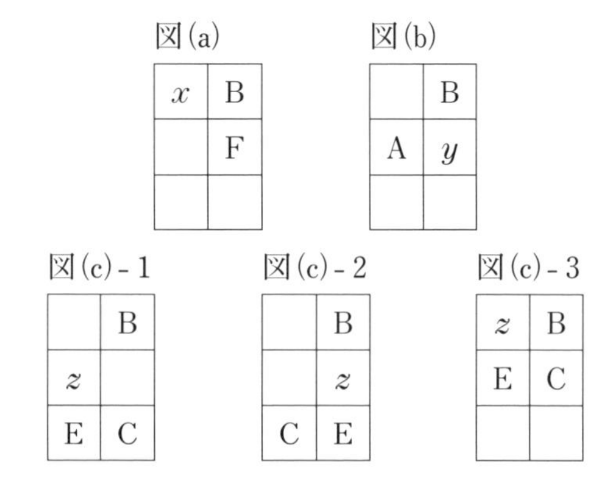

図(a)，(b)，(c)から y はＦ，x はＤと決まります。z とＥとＣの位置はまだ決められません。したがって，１日目の席順は次の２通り考えられます。

図(d)-1

D	B
A	F
E	C

図(d)-2

D	B
A	F
C	E

次に，２日目を考えます。
ウの条件から，ＤはＡの斜め後ろでＣの隣ですからＤとＣが隣同士。
エの条件から，ＦはＤの後ろでＥの隣りですからＦとＥが隣同士。
オの条件から，z はＢの隣ですが，組合せとして残っているのはＡだけですから，z はＡになります。これを図にすると(e)のようになります。

さらに条件イからEの位置が2日とも同じになることができますので，1日目は(d)-1と決まります。

図(e)

A	B
C	D
E	F

図(d)-1，(e)から確実にいえるのは，**3**のみです。

正解 3

判断推理 4

真偽推理

うそつきが誰なのかを仮定し，
矛盾を発見していこう！

STEP 1 まずは，例題を解いてみよう！

A～Dの４人は１組～４組までのいずれかの生徒で，同じクラスの者はいません。次のうち，ＡとＢはうそをいい，ＣとＤは本当のことをいっています。このとき正しいものはどれでしょうか。

１組の生徒「私はＢである」
２組の生徒「Ｂは３組の生徒である」
３組の生徒「Ａは３組の生徒である」
４組の生徒「私はＤである」

1　Ａは３組の生徒である。
2　Ｂは２組の生徒である。
3　Ｃは３組の生徒である。
4　Ｄは２組の生徒である。
5　Ａは１組の生徒である。

STEP2 解説を読んで，ポイントをつかもう！

うそつきがだれなのかわかっているときは，その発言から考えはじめ，うそつきは自分のことについて，うそを発言するということに注目しましょう。

1組の生徒がB(うそ)，C，D(本当)のいずれでも，「私はBである」という発言は矛盾します。

したがって，1組の生徒はA(うそ)とわかります。すると，3組の生徒の発言はうそになりますから，3組の生徒はBとわかりました。

残りの2人は本当のことをいうので，4組の生徒はD，2組の生徒は残りのCと定まります。

したがって，選択肢のうちで正しいものは**5**とわかります。

誰がうそつきかわからない場合は，うそつきは必ず事実に反することを述べることを利用し，1人ずつうそつきと仮定して，その発言内容の矛盾を導いていきましょう。

STEP3 特訓問題を解いて，しっかり理解しよう！

特訓問題 1

A～Dの４人のうち２人が独身者，２人が既婚者です。４人は，

A 「私もＤも独身である」
B 「私は結婚していない」
C 「Ａは結婚していない」
D 「Ｃは結婚している」

と発言していますが，既婚者は２人ともうそをつき，独身者は２人とも本当のことをいっています。独身者はだれでしょうか。次のうちから選びなさい。

1 ＢとＤ　**2** ＡとＤ　**3** ＡとＣ　**4** ＡとＢ　**5** ＣとＤ

特訓問題 2

A～Eは５人兄弟で，それぞれ自分自身について次のように話していますが，次男と三男だけがうそをついています。

A 「Ｂより年下である」
B 「四男である」
C 「Ｄより年上である」
D 「次男である」
E 「Ａより年下である」

このとき確実にいえるものは，次のうちどれでしょうか。次のうちから選びなさい。

1 Ａはうそをいっている。
2 Ｂは本当のことをいっている。
3 Ｄは本当のことをいっている。
4 Ｃは長男である。
5 Ｅは五男である。

答

特訓問題３

Ａ～Ｅの５人がマラソンをしました。その結果についての５人の発言は次の通りです。これらの発言において，各人は半分は正しいことをいい，半分はうそをいっています。これらの発言から確実にいえるものはどれでしょうか。次のうちから選びなさい。

Ａ「私は５位だった。Ｄが１位だった」
Ｂ「私は４位だった。Ｃが５位だった」
Ｃ「私は２位だった。Ｅが４位だった」
Ｄ「私は５位だった。Ｂが３位だった」
Ｅ「私は３位だった。Ａが２位だった」

1　１位はＡだった。　**2**　２位はＤだった。
3　３位はＢだった。　**4**　４位はＣだった。
5　５位はＥだった。

答

解答・解説

特訓問題１

Ａは独身者(本当)とします。するとＡの発言より，Ａ，Ｄが独身者(本当)，Ｂ，Ｃが既婚者(うそ)となりますが，Ｃの発言「Ａは結婚していない」が本当のことになり矛盾します。したがって，Ａは既婚者(うそ)とわかりました。

Ａは既婚者だったことより，Ｃ，Ｄの発言からそれぞれＣは既婚者(うそ)，Ｄは独身者(本当)とわかります。

よって，最後の１人であるＢは，独身者(本当)と定まります。

したがって，選択肢の中で正しいのは**1**とわかりました。

正解　1

特訓問題2

次男はうそつきですから，自分のことを「次男である」とはいいません。だから，「次男である」という者がいればそれはうそつきであり，次男ではありません。うそつきは2人でもう1人のうそつきは三男であることも問題文からわかっています。

したがって，Dはうそつきで三男と特定されます。もう一人のうそつきである次男はだれであるかわからないので，順に仮定して整理していきましょう。

(1) Aが次男の場合

Aが次男，Dが三男でうそつきなので，残る発言は本当のことになります。したがって，Bが四男，Cは長男，Eが五男になり矛盾しません。(Ⅰ)

(2) Bが次男の場合

Bが次男，Dが三男でうそつきなので，残る発言は本当のことになります。したがってAが四男，Cが長男，Eが五男になり矛盾しません。(Ⅱ)

(3) Cが次男の場合

Cはうそつきですから「D(三男)より年上である。」という発言は矛盾します。よって，Cが次男のことはありえません。

(4) Eが次男の場合

Eが次男，Dが三男でうそつきなので，残る発言は本当のことになります。したがって，Bが四男で，Aが五男，Cが長男となり矛盾しません。(Ⅲ)

まとめると(Ⅰ)，(Ⅱ)，(Ⅲ)の3通りの場合が考えられます。選択肢の中でこのいずれの場合でも正しいのは**4**だけです。

正解 4

特訓問題3

A～Eの発言内容を表にしてみます。

A	A＝5	D＝1
B	B＝4	C＝5
C	C＝2	E＝4
D	D＝5	B＝3
E	E＝3	A＝2

5人とも半分が正しく，半分はうそなので，Aの発言のうちA＝5が正しいと仮定します。

そして，以下の図①のように矢印の順で他の4人の発言において，どちらが正しいか判断していきます。するとDの発言がどちらもうそとなってしまいます。

そこで，A＝5が正しいという前提が誤っていたことがわかりました。

図①

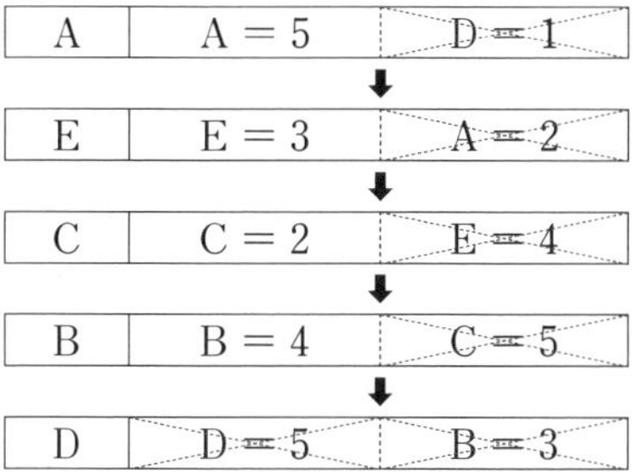

A
A＝5
D＝1
E
E＝3
A＝2
C
C＝2
E＝4
B
B＝4
C＝5
D
D＝5
B＝3

次にAの発言のうち，D＝1が正しいと仮定します。

すると，以下の図②のように矢印の順で他の4人の発言においてどちらが正しいか判断できます。

図②

A
A＝5
D＝1
D
D＝5
B＝3
B
B＝4
C＝5
C
C＝2
E＝4
E
E＝3
A＝2

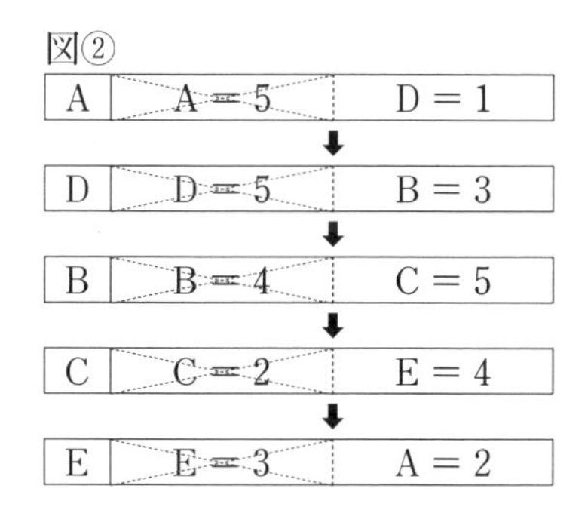

以上より，5人の順位は，

1	2	3	4	5
D	A	B	E	C

と定まりました。

したがって，選択肢の中で正しいのは**3**とわかりました。

正解 3

判断推理 5

時間推理

時間の前後関係を線分図で表してみよう！

STEP 1 まずは，例題を解いてみよう！

ある時刻に始まる会議にＡはＢより９分遅れて着き，Ｃより10分早く着きました。ＤはＣより16分早く着いたので，会議の始まる10分前には着くことができました。このとき，正しいものはどれでしょうか。

1　ＡはＤよりも早く着いた。
2　Ａは会議の５分前に着いた。
3　Ｃは会議に５分遅刻した。
4　ＤはＢよりも３分遅れて着いた。
5　Ａは会議に遅刻した。

STEP2 解説を読んで，ポイントをつかもう！

条件を線分図で表してみます。

AはBより9分遅れて着き，Cより10分早く着いたことより，線分図は図1のようになります。

図1

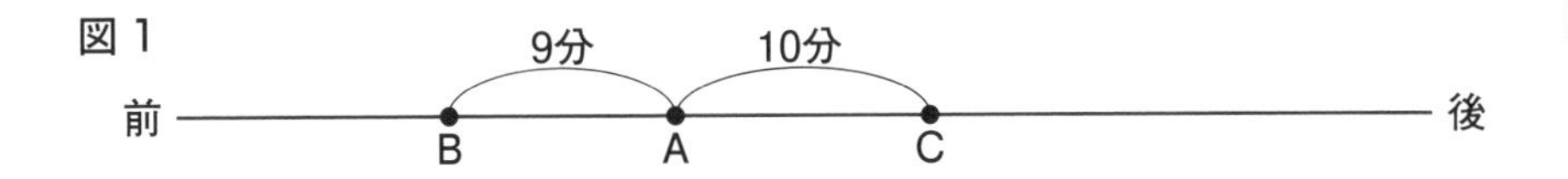

DはCより16分早く，会議の始まる10分前に着いたことより，線分図は図2のようになります。

図2

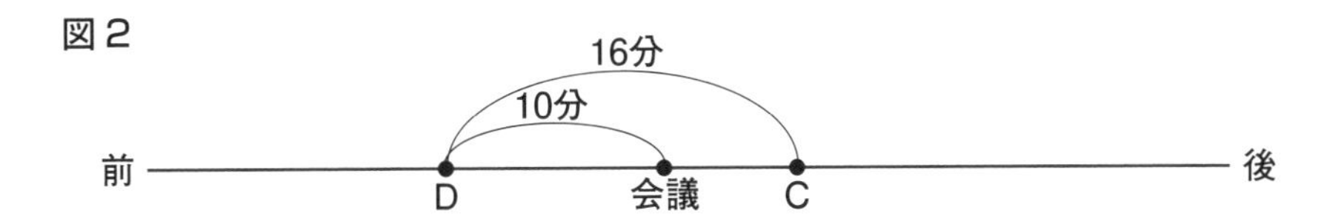

図1と図2を1つの線分図にまとめると，図3となります。

図3

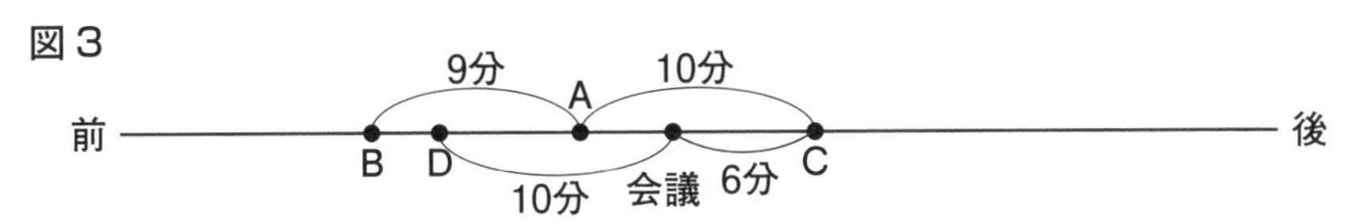

最後にA～Dの到着時刻の時間差を書き入れると，図4となります。

図4

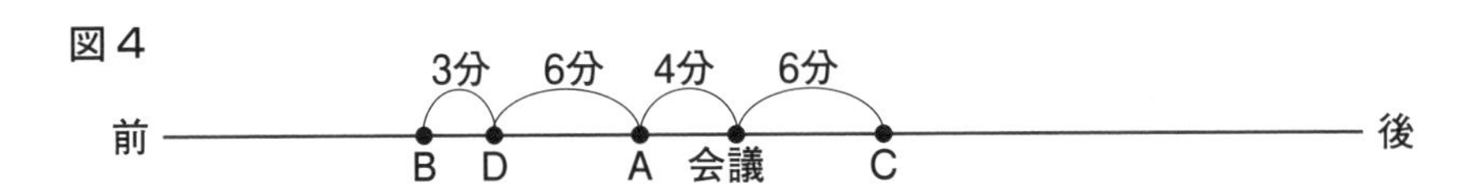

したがって，選択肢の中で正しいものは**4**とわかりました。

答 4

解き方のポイント

時刻と時間の条件をいくつかの線分図に表し，最後にそれらを一つにまとめて，時刻の推移，時間の隔たりを見やすく図示しましょう。

STEP3 特訓問題を解いて，しっかり理解しよう！

特訓問題 1

A～Fの６人は，掲示板の前である時刻に待ち合わせをしました。６人が到着した時間関係がア～オであるとき，確実にいえることはどれでしょうか。次のうちから選びなさい。

ア　AはDより７分早く到着した。
イ　CはEより６分早く到着した。
ウ　DはBより３分早く到着した。
エ　EはBより早かったが，Dより遅く到着した。
オ　FはCより２分遅れて到着した。

1　Cは3番目に到着した。
2　Dは3番目に到着した。
3　Fは2番目に到着した。
4　AとCの時間差は3分未満だった。
5　BとFの時間差は7分未満だった。

答

特訓問題 2

A～Dの４人はサークル活動の一環として美術館へ出かけるために11時に校門に集合することにしました。集合の状況が次のア～エのとおりだとすると確実にいえるものはどれでしょうか。次のうちから選びなさい。

ア　AはCの時計で11時４分に着いたが，Aの時計はCの時計よりも５分進んでいた。
イ　Bは自分の時計で10時58分に着いた。
ウ　Cは自分の時計で10時56分に着いたが，その後11時の時報で自分の時計が２分遅れていることに気づいた。
エ　Dは自分の時計で11時２分に着いたが，Dの時計はAの時計より２分遅れ，Bの時計より６分進んでいた。

1　AとBは同時に着いた。
2　BはCより８分遅く着いた。
3　Cの時計はDの時計より３分遅れていた。
4　Dの時計は正しい時刻より３分遅れていた。
5　Dは３番目に着いた。

特訓問題３

A，B，Cの３人が８時に集合することにしました。自分の時計が６分進んでいると思っているAは，着いたとき15分遅刻したと思いました。自分の時計が８分遅れていると思っているBは，着いたとき２分遅刻したと思いました。自分の時計が７分遅れていると思っているCは，着いたとき５分遅刻したと思いました。実際には，C，B，Aの順に着き，Aは５分遅刻しましたが，Cより２分遅れたBは遅刻しませんでした。Cは７時45分以後に着いたことがわかっているとき，確実にいえることはどれでしょうか。次のうちから選びなさい。

1　Aの時計は遅れている。
2　Bの時計は遅れている。
3　Cの時計は遅れている。
4　Aの時計は一番進んでいる。
5　３人の時計はすべて進んでいる。

答

解答・解説

特訓問題 1

まず，条件ア，ウを線分図で表します。

図 1

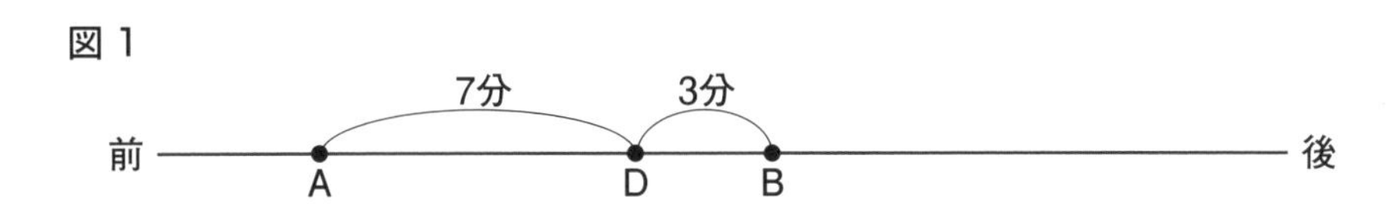

次に条件イ，オを線分図で表します。

図 2

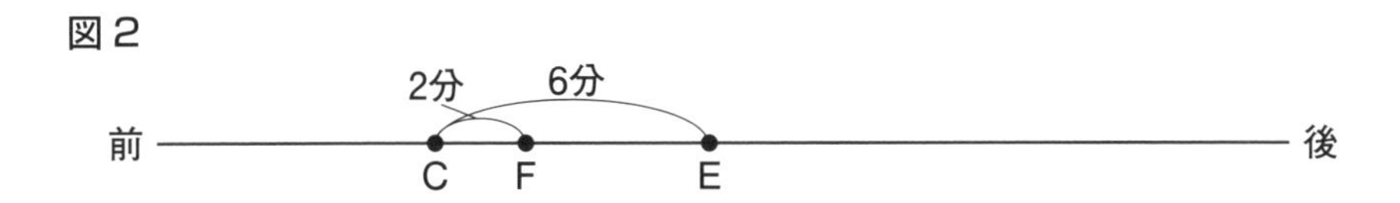

条件エより，EがDとBの間にくるように図1と図2をまとめると，図3となります。

図 3

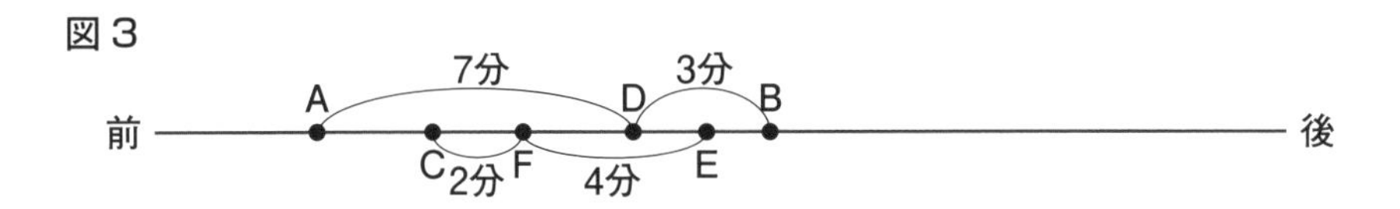

まず，到着の順番は，A，C，F，D，E，Bより選択肢の1～3は誤りです。

次に，AとCの時間差が最大になるのは，BとEが重なるときで，(7＋3)－(4＋2)＝4より，最大4分となります。

BとFの時間差が最大となるのは，DとEが重なるときで，4＋3＝7より最大7分となります。ただし，EはBより早かったので，実際には，BとFの時間差は7分未満です。

したがって，正しいのは**5**とわかりました。

正解 5

特訓問題 2

条件の文から正しい時刻がわかるのは，ウだけなので，ここから考え始めます。条件ウより，Cの時計は2分遅れていたのでCは実際には10時58分に着いたことがわかります。

条件アより，Aは2分遅れのCの時計で11時4分に着いたので，実際には11時6分に着きました。Aの時計は2分遅れのCの時計より5分進んでいたので，実際には3分進んでいたことになります。

条件エより，Dの時計は3分進んでいたAより2分遅れていたのですから，実際の時刻よりも1分進んでいたことになり，Dは11時1分に着いたことがわかります。さらに条件エより，Bの時計は1分進んでいたDの時計より6分遅れていましたので，実際の時刻よりも5分遅れていたことになります。条件イより，Bは10時58分より5分遅い11時3分に着いたことがわかります。

ここで，4人の正しい到着時刻を線分図で表してみます。

前 ―― C (10:58) ―― D (11:01) ―― B (11:03) ―― A (11:06) ―― 後

また，各自の時計の進み具合を表にしてみます。

A	3分進み
B	5分遅れ
C	2分遅れ
D	1分進み

これより，選択肢の中で確実にいえるのは**3**とわかります。

正解 3

特訓問題３

Ａは，６分進んでいると思っている時計を見て15分遅刻したと思ったのですから，Ａの時計で，８時21分に着いています。

Ｂは，８分遅れていると思っている時計を見て，２分遅刻したと思ったのですから，Ｂの時計で７時54分に着いています。

Ｃは，７分遅れていると思っている時計を見て，５分遅刻したと思ったのですから，Ｃの時計で７時58分に着いています。実際は，Ｃ，Ｂ，Ａの順に着いて，Ａは８時５分に着き，ＣとＢの時間差は２分でＢは遅刻しませんでした。

ここまでの条件を線分図に表してみます。

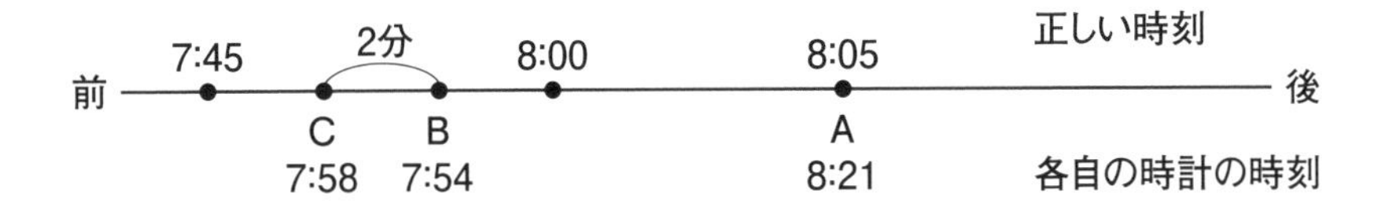

以上より，

Ａの時計は16分進んでいます。　……①

Ｂは７：47～８：00の間に着いているので，Ｂの時計は，０～７分進んでいるか，０～６分遅れています。　……②

Ｃは７：45～７：58の間に着いているので，Ｃの時計は，０～13分進んでいます。　……③

①，②，③より，確実にいえるのは**４**とわかります。

正解　４

判断推理
6

命題推理

命題と対偶・逆・裏の真偽関係を理解しよう！

STEP 1 まずは，例題を解いてみよう！

ある幼稚園で好きなおやつについて調べました。その結果は次のとおりでした。

ア　ガムが好きな人はキャンディーも好きである。
イ　チョコレートが好きでない人はキャンディーも好きではない。
ウ　ポテトチップスが好きな人はキャンディーも好きである。

この場合，確実にいえるものは次の１～５のうちどれでしょうか。

1　ポテトチップスが好きな人はチョコレートも好きである。
2　ポテトチップスが好きな人はガムは好きではない。
3　チョコレートが好きな人はポテトチップスも好きである。
4　ガムが好きな人はチョコレートは好きではない。
5　チョコレートが好きな人はガムも好きである。

STEP2 解説を読んで，ポイントをつかもう！

命題推理の問題では，与えられた関係を記号化して書くと分かりやすくなります。

アより，ガム → キャンディー ……①

イの対偶(「解き方のポイント」参照)は，キャンディーが好きな人はチョコレートも好きであるより，

キャンディー → チョコレート ……②

ウより，ポテトチップス → キャンディー ……③

①，②，③より，

ガム → キャンディ → チョコレート
↑
ポテトチップ

ここで，選択肢の中で矢印がつながるのは，1のポテトチップ → キャンディー → チョコレートだけとわかりました。

答 1

解き方のポイント

- 命題 $P \to Q$ が真のとき，その対偶 $\overline{Q}$ (Q でない) $\to \overline{P}$ (P でない) も必ず真になることを覚えておきましょう。
- 命題 $P \to Q$ が真でも，その逆 $Q \to P$，裏 $\overline{P} \to \overline{Q}$ は必ずしも真とはいえないことに注意しましょう。

STEP3 特訓問題を解いて，しっかり理解しよう！

特訓問題 1

以下のことがいえるとき，確実にいえるものはどれでしょうか。次のうちから選びなさい。

ア 「山が好きな人は，自然が好きである」
イ 「カヌーが好きな人は，川もつりも好きである」
ウ 「自然が好きな人は，植物も好きである」
エ 「川が好きな人は，自然が好きである」

1 つりが好きな人は，山も好きである。
2 山が好きな人は，川も好きである。
3 カヌーが好きな人は，植物も好きである。
4 川が好きな人は，つりも好きである。
5 カヌーが好きな人は，山も好きである。

答

特訓問題 2

ア「小さい実はおいしい」
イ「おいしくない実はかたい」
ウ「青い実はおいしくない」
以上のような条件から，確実にいえることはどれでしょうか。次のうちから選びなさい。

1 「おいしい実は小さい」
2 「小さい実は青い」
3 「かたい実はおいしくない」
4 「小さい実は青くない」
5 「青くない実はおいしい」

答

特訓問題 3

次の４つのことがいえるとき，確実に正しいものはどれでしょうか。次のうちから選びなさい。

ア　国語が得意な者は，英語と日本史が得意である。
イ　世界史が得意な者は，国語が得意である。
ウ　英語が得意な者は，数学が不得意である。
エ　日本史が得意な者は，物理が不得意である。

1　英語が得意な者は日本史が得意である。
2　国語が得意な者は数学が得意である。
3　日本史が得意な者は世界史が得意である。
4　数学が得意な者は世界史が不得意である。
5　英語が得意な者は世界史が得意である。

答

解答・解説

特訓問題 1

4つの条件を矢印で表すと次のようになります。

山 → 自然，カヌー →川 / →つり，自然 → 植物，川 → 自然

これらをみやすくまとめると下図になります。

山 → 自然 ← 川 ← カヌー
　　　↓　　　　　　↓
　　植物　　　　　つり

したがって，選択肢の中で矢印がつながるのは，**3**のカヌー → 川 → 自然 → 植物とわかりました。

正解　3

特訓問題 2

「小さい実はおいしい」
「おいしくない実はかたい」
「青い実はおいしくない」
の対偶は，それぞれ，
「おいしくない実は小さくない」
「かたくない実はおいしい」
「おいしい実は青くない」となることから，
これらの6つの条件をまとめると，次のようになります。

```
小さい実     ↘
              おいしい     → 青くない
かたくない実 ↗
                          ↗ 小さくない
青い実       → おいしくない
                          ↘ かたい
```

したがって，選択肢の中で確実にいえるのは，**4**の「小さい実は青くない」とわかりました。

正解 4

特訓問題 3

4つの事柄を矢印で表してみます。

国 ↗ 英 ↘ 日，世 → 国，英 → $\overline{\text{数}}$，日 → $\overline{\text{物}}$

(不得意なものには，バー（$\overline{\ \ }$）をつけて表します。)
これらをまとめると，次のようになります。

```
世 → 国 → 英 → 数(バー)
     ↓
     日
     ↓
     物(バー)
```

選択肢の中で，1，3，5は矢印がつながらないので正しくありません。2は国 → 英 → $\overline{\text{数}}$と$\overline{\text{数}}$につながってしまい，正しくありません。
4の対偶は，世 → $\overline{\text{数}}$となりますが，世 → 国 → 英 → $\overline{\text{数}}$とつながりますので，正しいことがわかります。

正解 4

判断推理 7

位置推理

情報が多いものの位置をまず定めよう！

STEP1 まずは，例題を解いてみよう！

Ａ～Ｆの６人が図のような２階建てのアパートの６室のいずれかに入居しています。次のア～ウのことがわかっているとき，２号室に入居しているのはだれでしょうか。

2階	4号室	5号室	6号室
1階	1号室	2号室	3号室

ア　Ａが入居している部屋とＢのそれとは同じ階にある。
イ　Ｃが入居している部屋は２階で，その真下の部屋にＦが入居している。
ウ　Ｄが入居している部屋とＥの部屋とは隣り合っていない。

1　Ａ　**2**　Ｂ　**3**　Ｄ　**4**　Ｅ　**5**　Ｆ

STEP2 解説を読んで，ポイントをつかもう！

部屋の位置が特定されているのは条件イだけなので，そこから考えてみましょう。

条件イよりＣとＦの部屋の組合せは, (a)４号室と１号室, (b)５号室と２号室, (c)６号室と３号室という３通りが考えられます。それぞれの場合について，残りのアとウの条件が成り立つかどうかを図に記入して考えてみましょう。

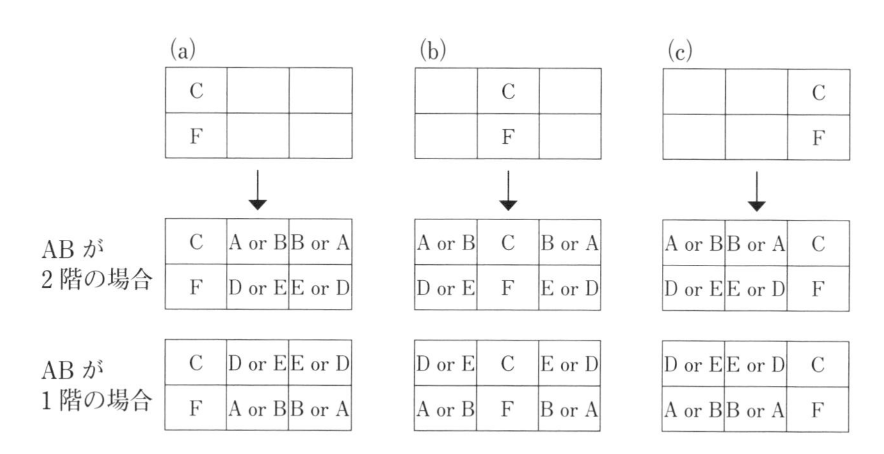

図からわかるように(a)と(c)の場合は，アの条件にしたがうと，ウの条件を同時に満足させることができません。つまり，条件アよりＡとＢの部屋を同じ階に持ってくれば，条件ウのＤとＥの部屋はどうしても隣り合ってしまうことになります。したがってＣは５号室でＦはその真下の２号室という(b)のように決まります。よって，正答は**5**です。

なお，ＡとB，そしてＤとＥの部屋は１号室と３号室，４号室と６号室の組合せのいずれかですが決定はできません。

答　5

解き方のポイント

位置が特定できたり，他のものとの位置に関する情報が多く出ているものの場所からまず考えます。その際，場所が特定できない場合は，場合分けをしてひとつずつていねいに調べていきましょう。

STEP3 特訓問題を解いて，しっかり理解しよう！

特訓問題 1

A～Iの９人が下図のような区画に家を持っています。以下の条件がわかっているとき，確実にいえることを次のうちから選びなさい。

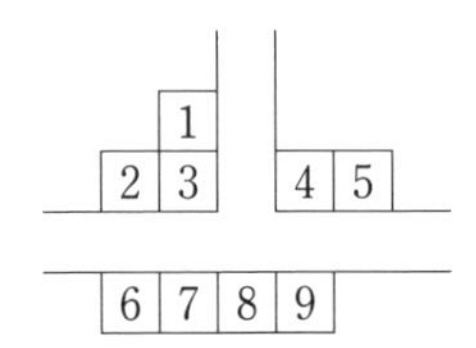

ア　A は C，D と道路を挟んで向かい合っている。
イ　B は C，G と隣り合っている。
ウ　I は A と隣り合い，向かいには H がいる。

1　A は 4 にいる。
2　B は 3 にいる。
3　D は 2 にいる。
4　H は 6 にいる。
5　I は 1 にいる。

答

特訓問題 2

図のような丸テーブルがあり，A，B，Cの男性３人と，D，E，Fの女性３人が座っている。次のことがわかっているとき，「Fの夫」「Bの真向かいの女性」の組合せとして確実にいえることを，次のうちから選びなさい。

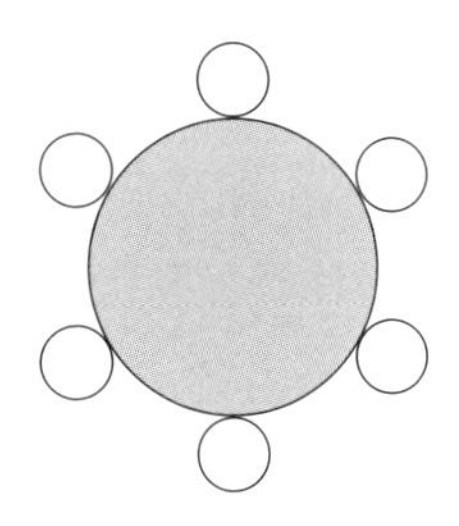

・Aの真向かいにはDが座っている。
・Eの左隣にはFの夫が座っている。
・Bの左隣の女性は，Cの右隣に座っている。
・Fが座っている席は，夫の隣ではない。

	Fの夫	Bの真向かいの女性
1	A	E
2	B	E
3	B	F
4	C	E
5	C	F

特訓問題 3

図は 3 階建てのアパートを正面から見たものです。A ～ I の 9 人が各部屋に 1 人ずつ住んでおり，各人の居住状況について次のことがわかっているとき，確実にいえるのはどれですか。次のうちから選びなさい。

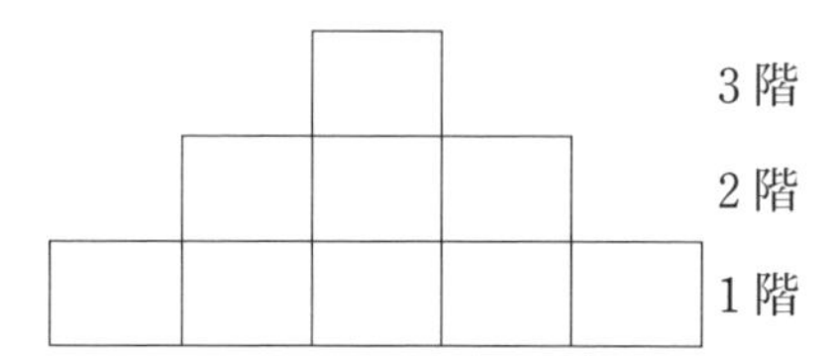

・A は 2 階に住んでおり，そのすぐ下の部屋には C が住んでいる。
・B は左端の部屋に住んでいる。
・H のすぐ下の部屋には G が住んでいる。
・I は 1 階に住んでおり，その両隣には B と G が住んでいる。

1　A の右隣には H が住んでいる。
2　C の右隣には G が住んでいる。
3　D のすぐ上に部屋はない。
4　E の左隣に部屋はない。
5　F は 1 階の右端の部屋に住んでいる。

答

解答・解説

特訓問題 1

条件アより，A，C，Dの位置は次の4通り考えられます。

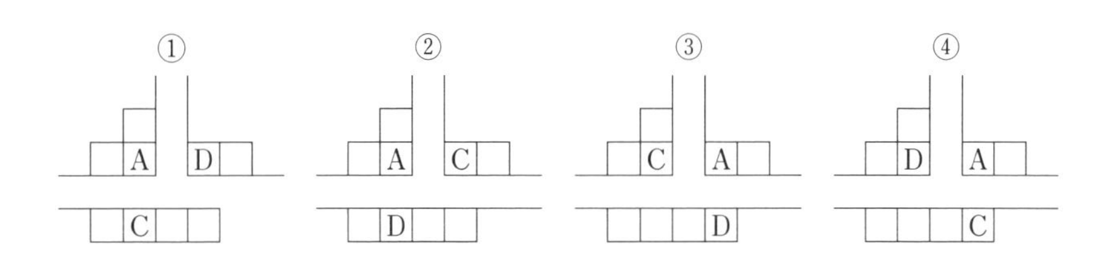

この中で，条件ウを満たすのは①と②しかありません。

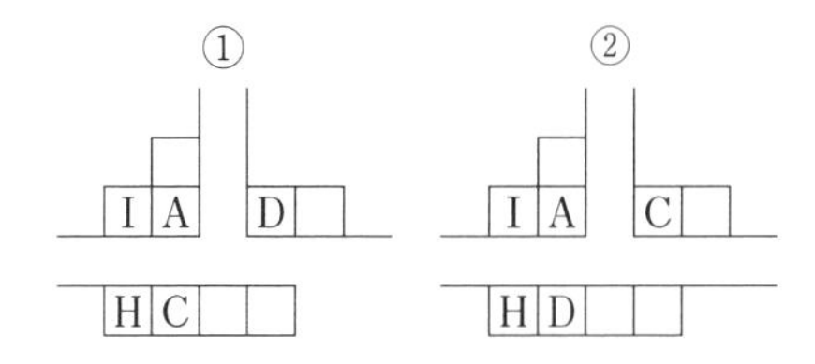

この中で条件イを満たすのは①しかありません。

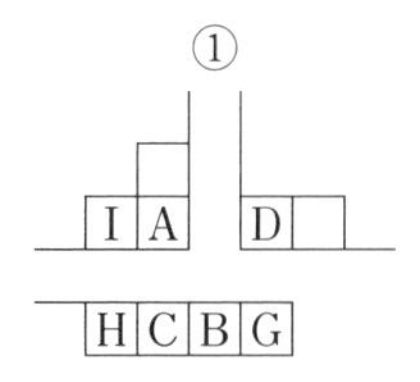

空白には残りのＥとＦが入りますが，場所は確定できません。
したがって，選択肢の中で正しいのは**4**とわかりました。

正解 4

特訓問題 2

まず，図 1 のように円卓の座席をアからカと名づけます。

はじめに，向かい合う A と D をそれぞれアとエに配置させて考えていくことにします。

ある女性を挟んで座る B と C は，男性である A を挟んで座れないので，女性である D を挟んで，ウとオにそれぞれ座らなければならないことがわかります(図 2)。

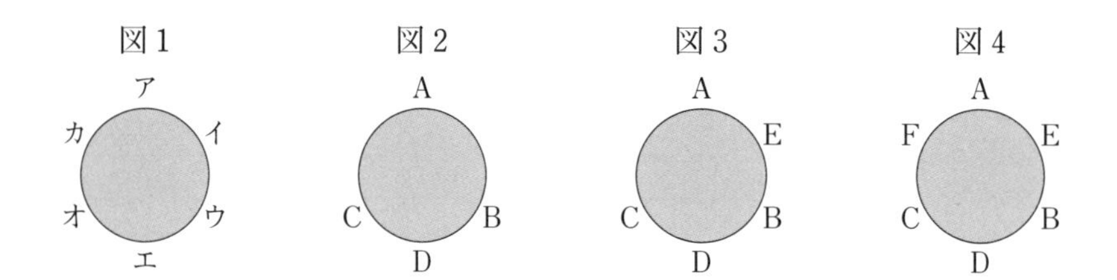

すると，E はイかカに座ることになります。カに座るとすると，イには残る F が座りますが，このとき，条件により，E の左隣の A が F の夫となり，その左隣に F が座っているので 4 番目の条件に矛盾してしまいます。

したがって，E はイに座ることがわかりました(図 3)。最後に残る F はカに座っていることがわかります(図 4)。

以上より，E の左隣の B が F の夫であり，B の真向かいの女性は F であることがわかりました。よって，正答は **3** です。

正解 3

特訓問題 3

まず，AとCの部屋を考えてみます。Aの部屋が2階の向かって左端の部屋であった場合，1階に住む3人B，I，G(4番目の条件)がCの右側に入るしかなくなりますが，この場合，「Bが左端の部屋に住んでいる」という条件に反します。

Aが2階の真ん中の部屋に住んでいた場合, Aの下にCが住むため, 1階にB, I，Gが並んで住むことができません。

以上のことから, Aは2階の右端の部屋であることがわかりました。この場合, Bは左端の部屋であるので，1階の3人B，I，GはCの左側の部屋に住んでいることもわかります。

これから，Gの真上のHの部屋(3番目の条件)も決まり下図のようになります。

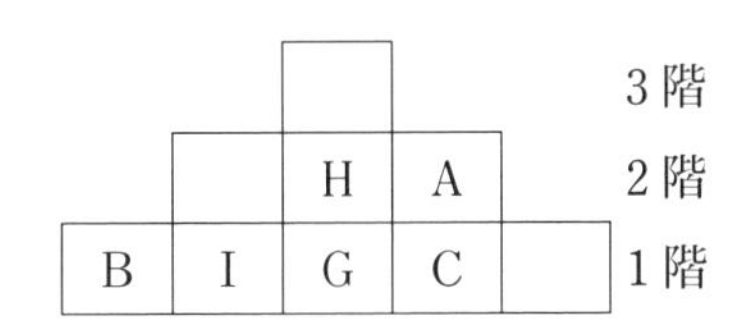

決まっていない3部屋のいずれかには，残りのD，E，Fの3人が入ることになりますが，その場所は確定できません。

したがって，選択肢の中では，Dのすぐ上に部屋はないことが確実にいえることがわかりました。よって，正解は**3**です。

正解 3

判断推理 8

規則推理

数字や記号と文字の間の規則性を考えてみよう！

STEP 1 まずは，例題を解いてみよう！

ある暗号で「トウキョウ」は「VQWMAQW」で表せるとき，同じ暗号で「オウサカ」を表したものは，次のうちどれでしょうか。

1 「WRBDPY」
2 「DRPRUI」
3 「QWUCMC」
4 「NRNXUR」
5 「VDNDWD」

STEP2 解説を読んで，ポイントをつかもう！

アルファベットの並び方に注目し，「トウキョウ」と対応させて，関連性を考えてみましょう。

「トウキョウ」が7文字の暗号となっていますから，ローマ字つづりの「TOUKYOU」を考えます。すると，暗号の「VQWMAQW」はアルファベット順の2つ後ろの文字であることがわかります。

T	O	U	K	Y	O	U
V	Q	W	M	A	Q	W

2つ後

同じ法則にしたがって書き換えると，「OUSAKA」は「QWUCMC」と表されます。

O	U	S	A	K	A
Q	W	U	C	M	C

2つ後

答　3

解き方のポイント

アルファベットの並び方など，だれもが知っている事柄に規則性を見つけるカギがあります。文字数などに注意しましょう。

特訓問題を解いて，しっかり理解しよう！

特訓問題 1

「すみだ川」を「HFNRWZTZDZ」と表す場合に，同じ暗号を用いて「VQRKFGL」と表される国の首都を次のうちから選びなさい。

1 ワシントン
2 ブリュッセル
3 コペンハーゲン
4 パリ
5 カイロ

答

特訓問題 2

$\left(\frac{5}{1}, \frac{4}{3}, \frac{7}{1}, \frac{4}{3}, \frac{9}{2}\right)$が「なつまつり」を意味している場合に，「秋の花」が表す数の和を，次のうちから選びなさい。

1 8
2 10
3 12
4 14
5 16

答

特訓問題 3

「UBGNEHTNEV」という暗号は「ほたるがり」を意味しています。同じ暗号を用いて表したものが「FRVELH」となりました。この暗号が表すものを，次のうちから選びなさい。

1 清流　**2** 花火　**3** 夜店　**4** 体操　**5** 夕立

答

解答・解説

特訓問題 1

「すみだ川」のローマ字表記「SUMIDAGAWA」の字数が暗号と１対１で対応するので，対応表をつくってみましょう（下段は暗号）。

A	B	C	D	E	F	G	H	I	J	K	L	M	N	O	P	Q	R	S	T	U	V	W	X	Y	Z
Z	Y	X	W	V	U	T	S	R	Q	P	O	N	M	L	K	J	I	H	G	F	E	D	C	B	A

暗号表から，アルファベットが逆順で対応していることがわかります。この法則から，与えられた暗号は，「EJIPUTO」となります。

E	J	I	P	U	T	O
V	Q	R	K	F	G	L

（下段は暗号）

エジプトの首都は，**5**の「カイロ」です。

正解　5

特訓問題 2

平文のひらがなと暗号文の分数は1対1に対応しています。また，分子は50音表の「行」，分母は「段」を表しています。

例えば，「あ」はア行ア段ですから，$\frac{1}{1}$となります。同じ考え方で書き換えると，「あきのはな」は，$\frac{1}{1}$，$\frac{2}{2}$，$\frac{5}{5}$，$\frac{6}{1}$，$\frac{5}{1}$となり，その和は，$1+1+1+6+5=14$になります。

正解 4

特訓問題 3

「ほたるがり」は5文字ですが，ローマ字表記では「HOTARUGARI」の10文字になります。暗号文の「UBGNEHTNEV」が10文字ですから，文字数の一致するアルファベットでの対応を考えてみると，

H	O	T	A	R	U	G	A	R	I
U	B	G	N	E	H	T	N	E	V

(下段は暗号)

となり，原文の同じ文字には暗号文でも1種類の文字が使われていることがわかります。原文のアルファベットをもとに暗号が構成されているということになります。暗号はアルファベットの順番をスライドさせていると推測できます。対応させてみると，

A	B	C	D	E	F	G	H	I	J	K	L	M	N	O	P	Q	R	S	T	U	V	W	X	Y	Z
N	O	P	Q	R	S	T	U	V	W	X	Y	Z	A	B	C	D	E	F	G	H	I	J	K	L	M

(下段は暗号)

というように，アルファベットの順番を13スライドさせていることがわかります。この暗号文の「FRVELH」は「SEIRYU」(清流)となります。

S	E	I	R	Y	U
F	R	V	E	L	H

(下段は暗号)

よって，正答は1です。

正解 1

判断推理

9

軌跡推理

回転するときの中心と半径の変化に注意しよう！

STEP 1 まずは，例題を解いてみよう！

辺の長さの比が２：３の長方形があります。下図のように点Ｐを含む長方形が滑ることなく矢印の方向へ１回転していくとき，点Ｐの描く軌跡はどれでしょう。

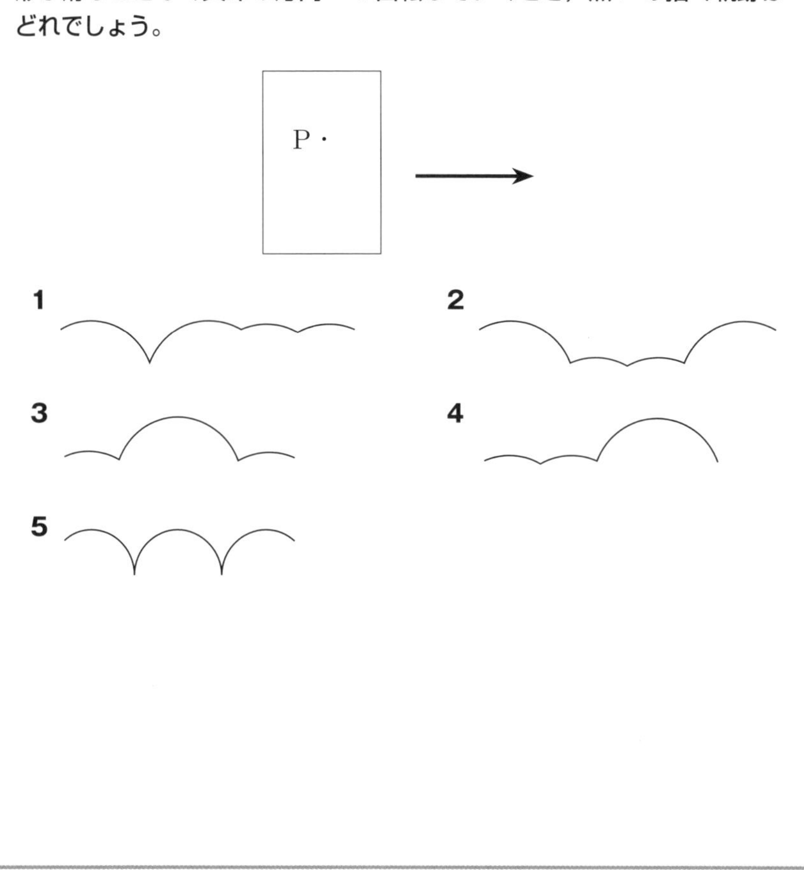

STEP2 解説を読んで，ポイントをつかもう！

どこを中心に回転しているのかに注意しながら実際に描いて考えていきます。まず，長方形の動きを描き，そこに点Pを入れて考えてみましょう。

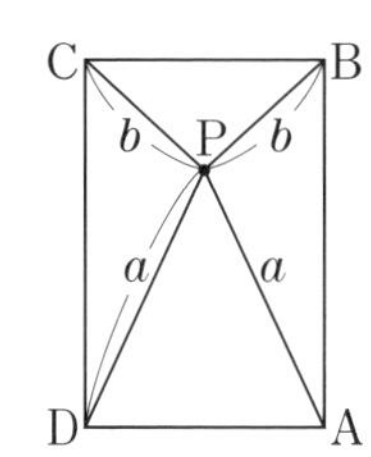

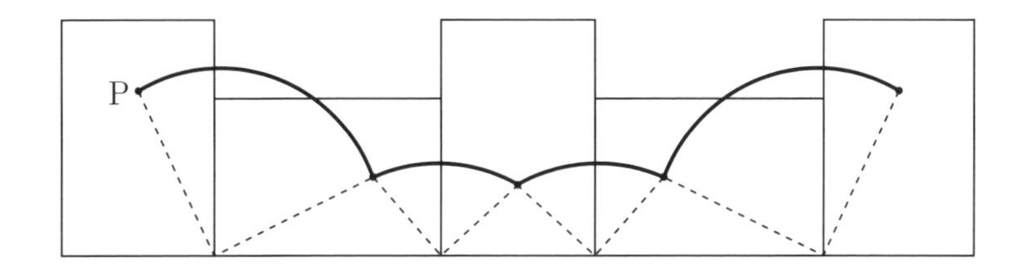

回転中心は，A→B→C→D，軌跡の半径は $\underset{(PA)}{a} \to \underset{(PB)}{b} \to \underset{(PC)}{b} \to \underset{(PD)}{a}$ と変化することに注意して軌跡を描くと上図のようになります。

多角形を回転するときは，軌跡の半径も回転中心が変わると変化することに注意しましょう。

特訓問題を解いて，しっかり理解しよう！

特訓問題 1

1 辺 x の正六角形の辺上の図のような位置に，1 辺が x の正三角形が置かれています。いま正三角形が正六角形の周りを滑らずに転がるとき，頂点 P が再び元の位置に戻るまでに，正三角形は何回転するでしょう。次のうちから選びなさい。

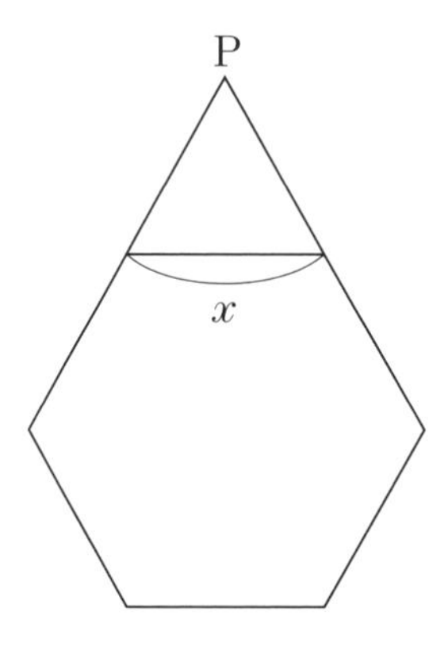

1　1 回転　**2**　2 回転　**3**　3 回転　**4**　4 回転　**5**　5 回転

答

特訓問題 2

図のような中心角 60°で半径 r のおうぎ形が，点線の位置まで直線 l 上を滑ることなく回転するとき，おうぎ形の中心 P が描く軌跡と直線 l で囲まれた面積はどれだけでしょう。次のうちから選びなさい。

1 $\frac{1}{2}\pi r^2$　**2** $\frac{3}{4}\pi r^2$　**3** πr^2　**4** $\frac{5}{4}\pi r^2$　**5** $\frac{5}{6}\pi r^2$

答

特訓問題 3

正五角形 ABCDE が，次のように接する同じ大きさの正五角形の周りを滑ることなく回転して再び図の位置に戻るとき，頂点 B の描く軌跡の長さはいくらになるでしょうか。次のうちから選びなさい。ただし，AE = a，AD = b とします。

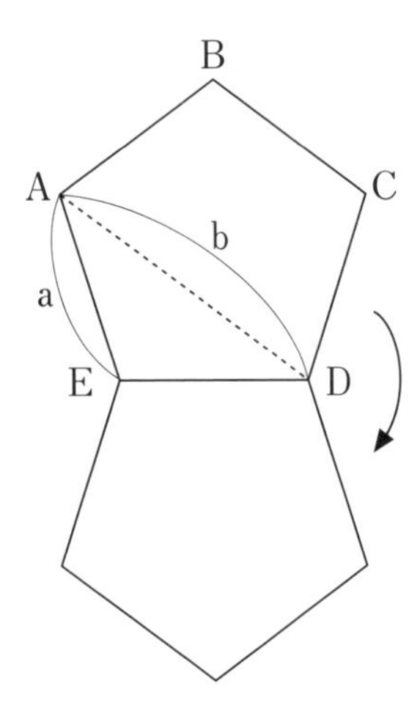

1 $\dfrac{4}{5}(a+b)\pi$　**2** $\dfrac{6}{5}(a+b)\pi$　**3** $\dfrac{8}{5}(a+b)\pi$

4 $\dfrac{9}{5}(a+b)\pi$　**5** $\dfrac{11}{5}(a+b)\pi$

答

解答・解説

特訓問題 1

実際の動きを図に表して考えます。正三角形が図の①→②に動くと頂点は図のように移動します。

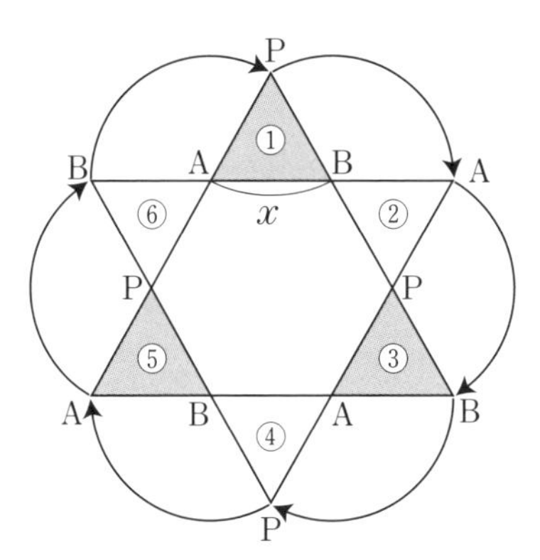

同じように②→③，③→④，④→⑤，⑤→⑥，⑥→①と移動したときの正三角形と点Pの位置は図のようになり，3回転したことがわかります。

正解 3

特訓問題 2

おうぎ形の弧が直線ℓと接している区間で点Pは直線，それ以外では円弧を描きます。

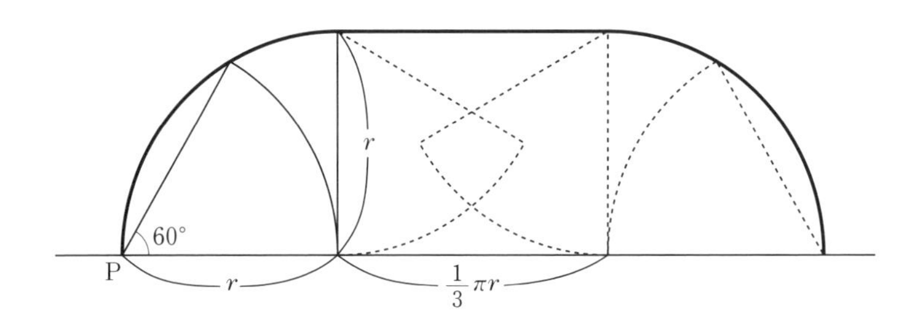

図から，求める面積は半径rの4分円が2つと長方形の和になることと，長方形の縦の長さはおうぎ形の半径rに等しいことがわかります。

さらに，長方形の横の長さはおうぎ形の弧の長さに等しいことから，次の計算式で求めることができます。

$$2\pi r \times \frac{60}{360} = \frac{1}{3}\pi r$$

以上から，求める面積は，次の計算式で求めることができます。

$$4\text{分円} \times 2 + \text{長方形} = \frac{1}{4}\pi r^2 \times 2 + r \times \frac{1}{3}\pi r = \frac{5}{6}\pi r^2$$

正解 5

特訓問題3

図のように正五角形ABCDEが1周する間に頂点Bは，B→B′，B′→B″，B″→B‴→Bと移動します。まず，BはBD＝bを半径とした中心角x°の弧を描き，その長さは，xの大きさから計算できます。

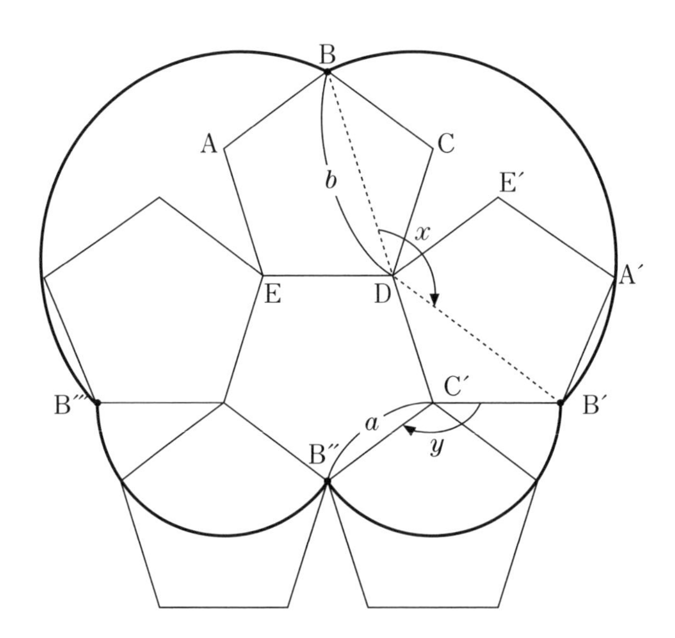

図から，∠BDB′の大きさは180°－∠B′DC′と考えることができますが，∠B′DC′は次のように求めることができます。

まず，n角形の内角の和は180°×(n－2)で求めることができます。よって，五角形の内角の和は180°×(5－2)＝540°であり，1つの角は540°÷5＝108°とわかります。

次に，三角形の内角の和は180°で，三角形B′DC′は二等辺三角形ですから，

$\angle$B′DC′$=(180°-108°)\times\frac{1}{2}=36°$とわかります。

したがって，中心角$x=180°-36°=144°$となります。

以上から，

$$\text{B から B′ までの弧の長さ}=\text{円周}(\text{直径}\,2b\times\pi)\times\frac{144}{360}=\frac{4}{5}\pi b$$

です。

B′からB″も同様に，中心角yは同じ144°ですが，半径がaの弧を描くので，

$$\text{B′B″}=2\pi a\times\frac{144}{360}=\frac{4}{5}\pi a \text{ です。}$$

B″B‴はB′B″と同じ長さで$\frac{4}{5}\pi a$，B‴BはBB′と同じ長さで$\frac{4}{5}\pi b$です。

したがって，Bが元に戻ってくるまでに描く軌跡の長さは，

$$\frac{4}{5}\pi b\times 2+\frac{4}{5}\pi a\times 2=\frac{8}{5}(a+b)\pi \text{ となります。}$$

正解　3

判断推理
10

展開推理

1つの展開図から，別の展開図をつくってみよう！

STEP1 まずは，例題を解いてみよう！

下の図の立方体の展開図として，正しくないものは次のうちどれでしょうか。

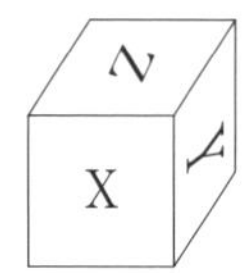

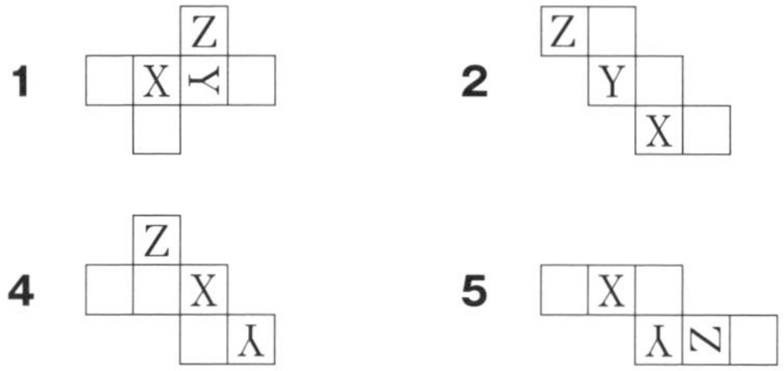

1

2

3

4

5

STEP2 解説を読んで，ポイントをつかもう！

まず，下の図のような展開図で考えます。各面の辺が重なっているところは，辺の端を中心に回転移動してできた図も，もとの立方体の展開図になります。下の図の太線が辺の重なっているところで，その端の点を中心にして矢印の方向に正方形Zを回転移動すると，選択肢1になります。

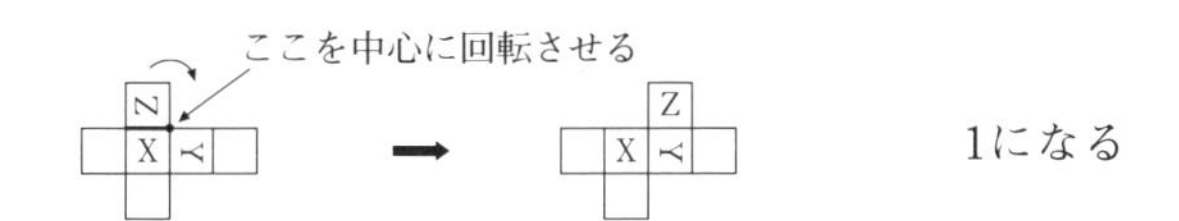

つまり，1は正しいということになります。同様にして他のものも調べていきます。

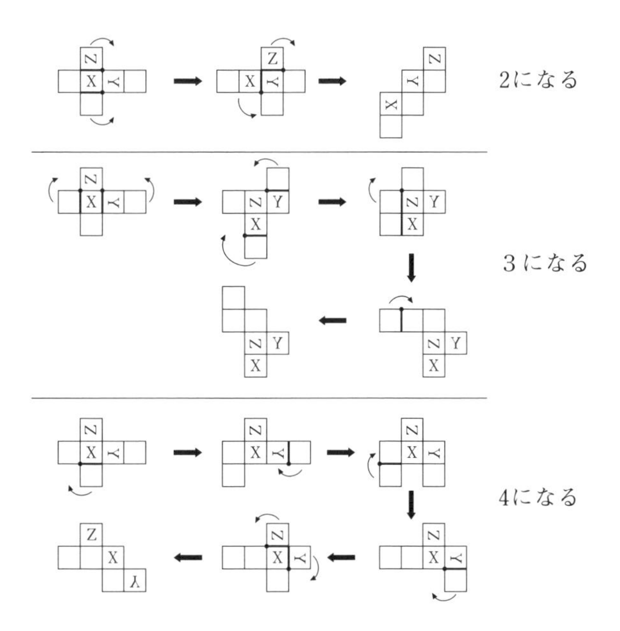

5はどのように移動してもつくることはできません。

答 5

解き方のポイント

方向に注意して正しい展開図を１つ描いてみて，そこから各面を移動して考えてみましょう。

STEP3 特訓問題を解いて，しっかり理解しよう！

特訓問題 1

図のような正八面体の展開図として正しいものを，次のうちから選びなさい。

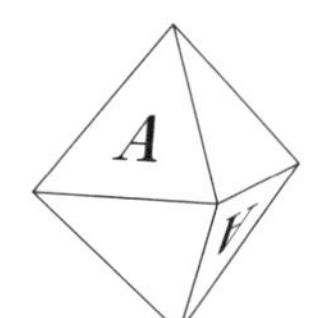

1

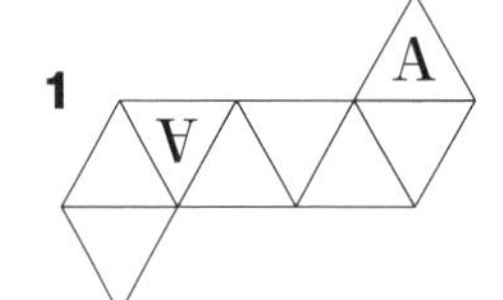

2

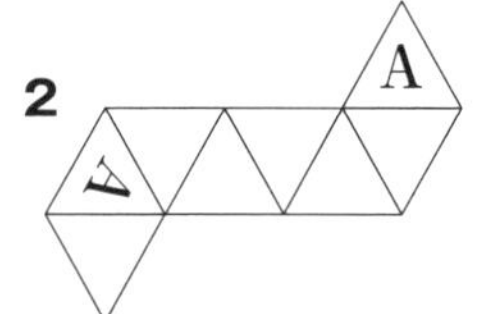

3

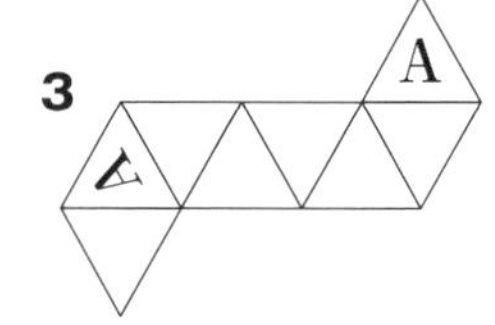

4

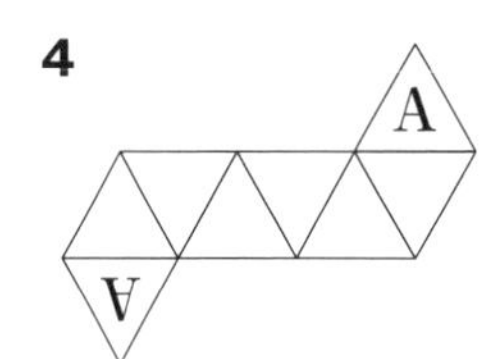

5

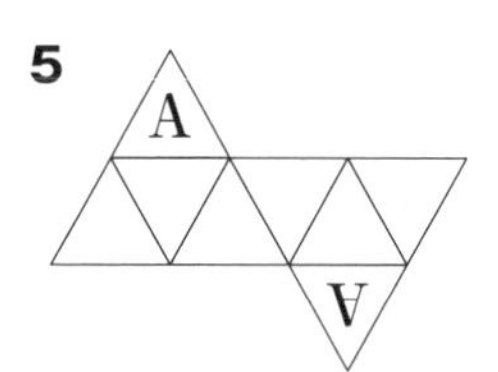

答

特訓問題 2

立方体の６つの辺の中点を通る線で，正六角形ができるように引きました。この立方体の展開図はどれでしょうか。次のうちから選びなさい。

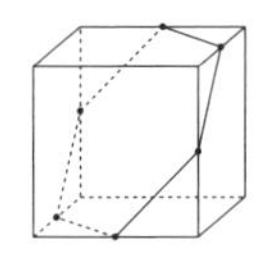

1

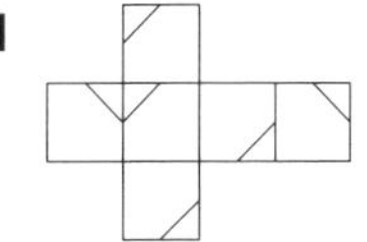

2

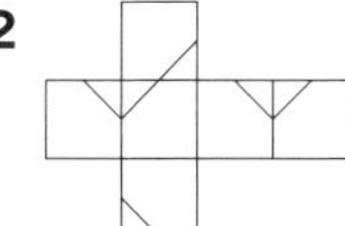

3

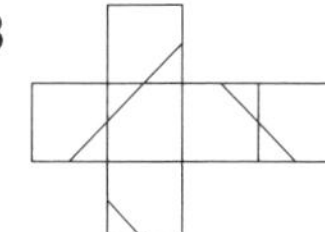

4

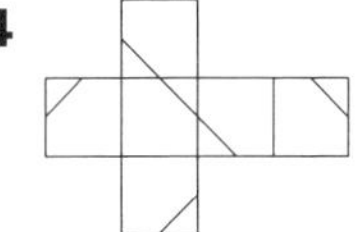

5

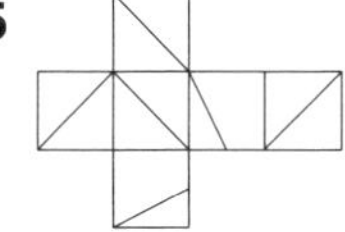

答

特訓問題 3

下図はある立体の展開図で，A ～ H がいろいろな向きに描かれています（実線は切る線を，点線は折る線を示しています）。この立体の見取り図として正しいものを，次のうちから選びなさい。

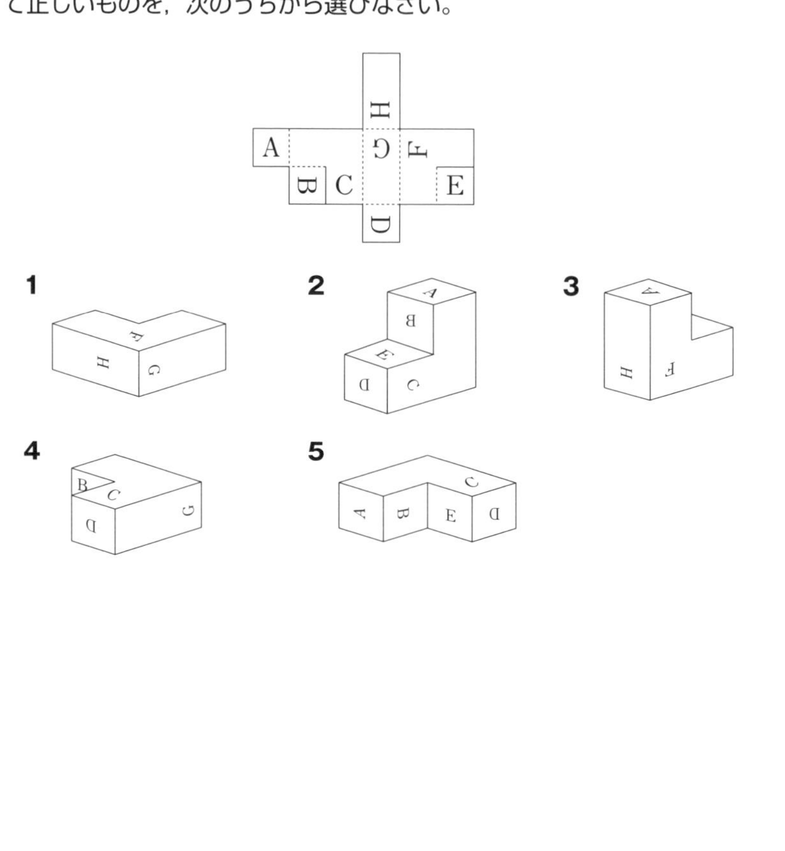

答

解答・解説

特訓問題 1

正八面体の8個の頂点を図Iのように，a～fとします。

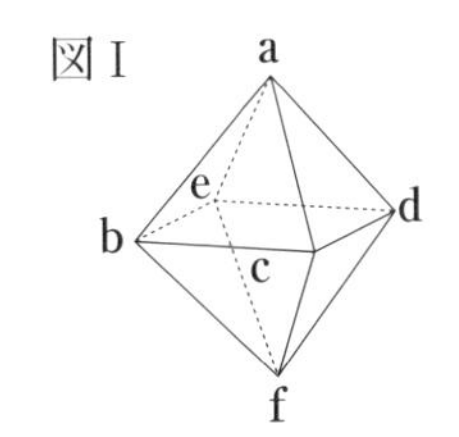

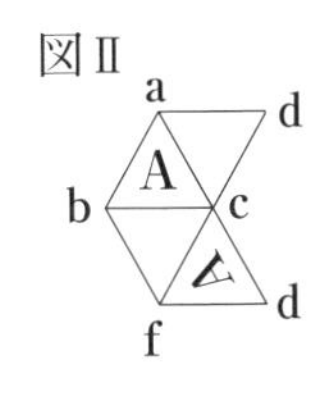

見取り図から，「A」という文字の入っている2つの面の展開図上の位置関係は，図IIのようにお互いの「A」の文字の右下の頂点のみを共有しています。したがって，それぞれの展開図を変形して，「A」のある2つの面の位置を調べてみます。

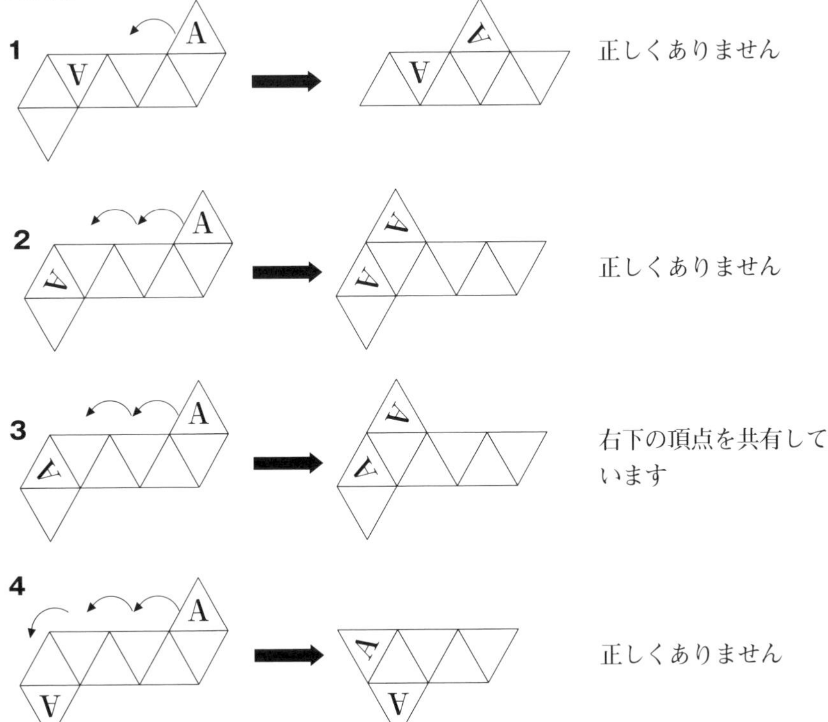

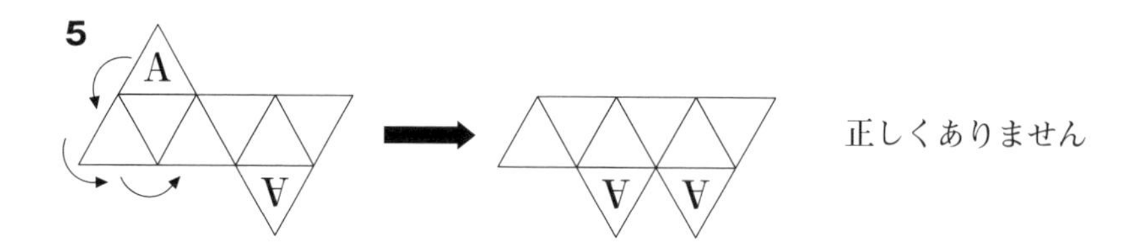

したがって，**3** が正しいことがわかりました。

正解 3

特訓問題 2

展開図の中で線が「切れている」**1** はまず除外します。

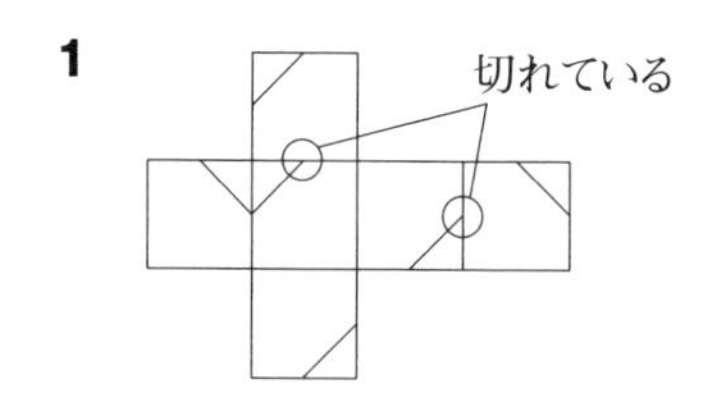

次に展開図を変形して，「切れている」ことが明らかなものを除きます。

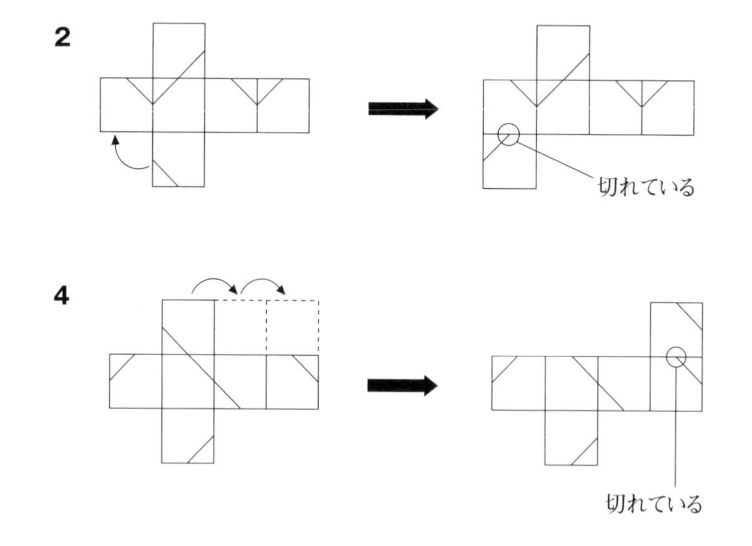

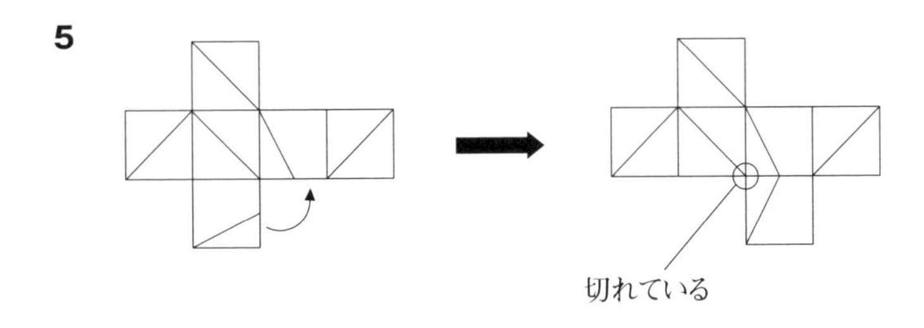

残った **3** は線がすべてつながっており，正六角形になります。

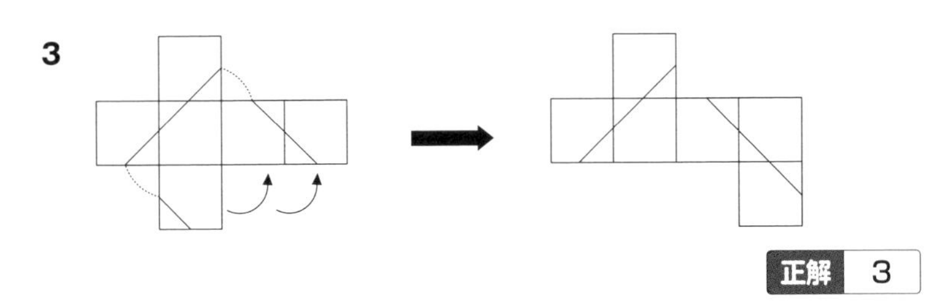

正解 3

特訓問題 3

組み立てた見取り図を字の向きに注意して書いてみます。

1 は H の方向が展開図と一致しないので，誤りです。正しくは次のようになります。

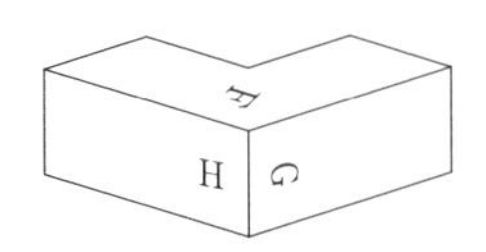

2 は D の方向が展開図と一致しないので，誤りです。正しくは次のようになります。

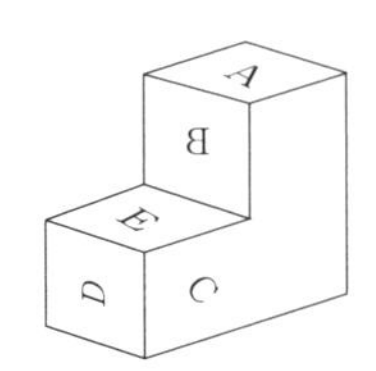

3 は正しい図です。A，F，H とも展開図と一致します。

4 はＢの方向が展開図と一致しないので，誤りです。正しくは次のようになります。

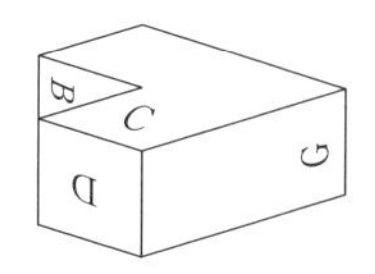

5 はＥの方向が展開図と一致しないので，誤りです。正しくは次のようになります。

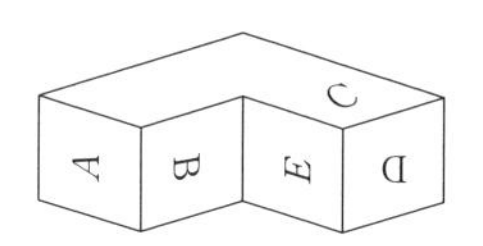

正解 3

対称推理

切り取られた部分は折り目に関して対称となることに注意しよう！

STEP1 まずは，例題を解いてみよう！

正方形の紙を図のように折った後，斜線で示した直角二等辺三角形の部分を切り取りました。もとの正方形に開いたとき，どの形になるでしょうか。

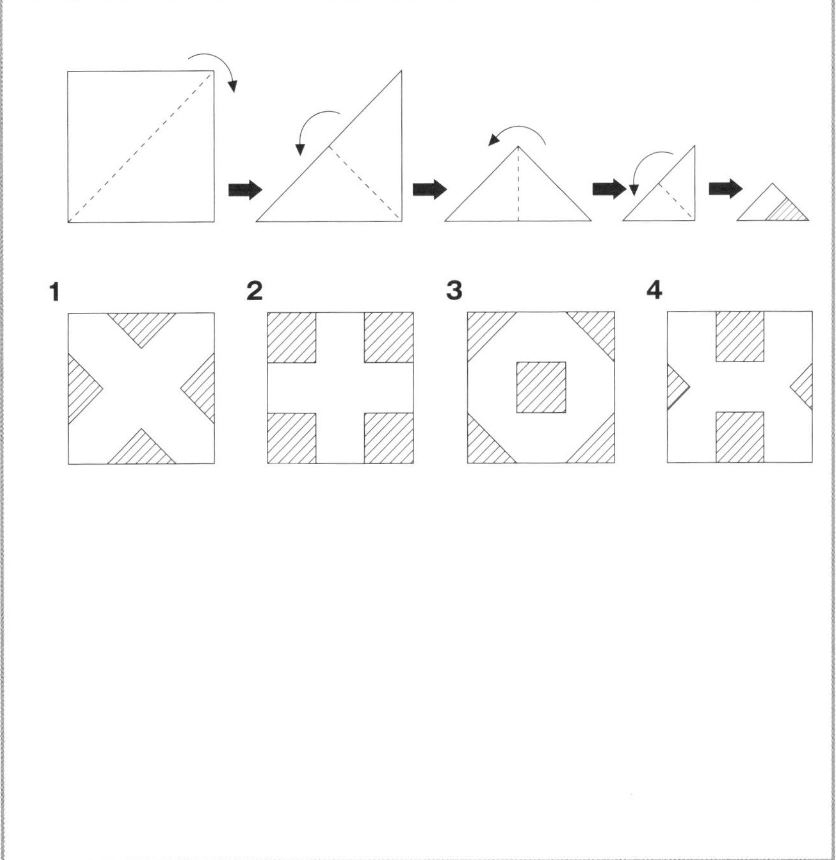

STEP2 解説を読んで，ポイントをつかもう！

広げていくときのプロセスを順に考えていくと図のようになります。問題の折ったときの図に斜線を入れるようにするとわかりやすくなります。

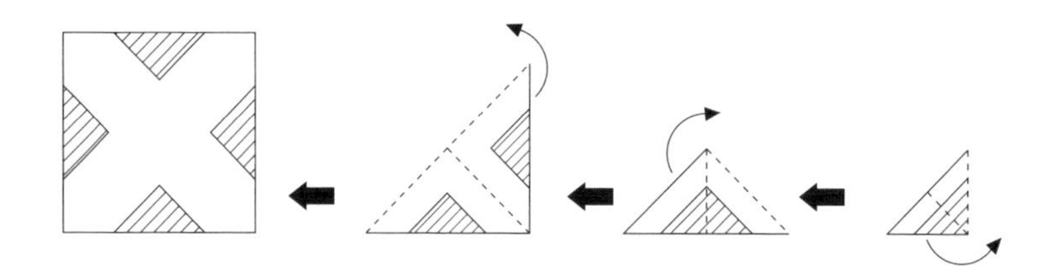

その場合，折り目を点線で描くなどして誤りのないようにしましょう。
図から，正答は 1 です。

答　1

解き方のポイント

折り曲げた手順を逆にたどって広げていくとき，折り目に関して線対称になるように図をかいていきましょう。

STEP3 特訓問題を解いて，しっかり理解しよう！

特訓問題 1

下図のように正方形の紙を点線を折り目として，順に折っていき，▨部を切り取りました。これを広げたとき，どの図形になりますか。次のうちから選びなさい。

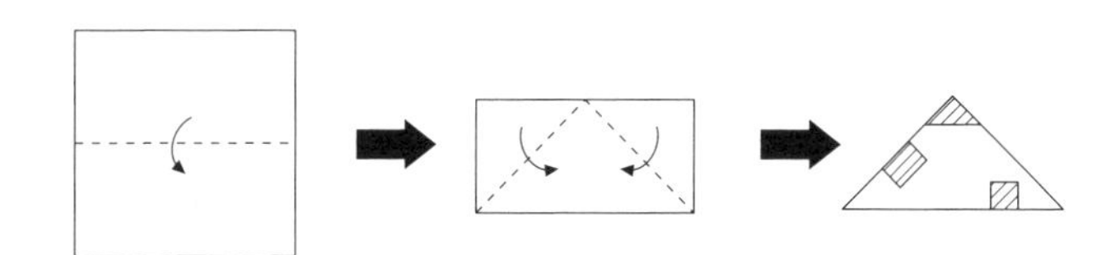

1
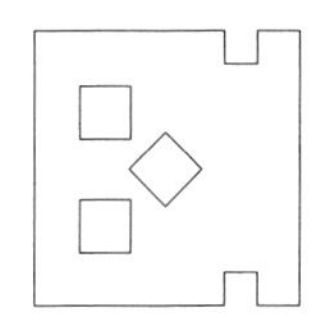

2
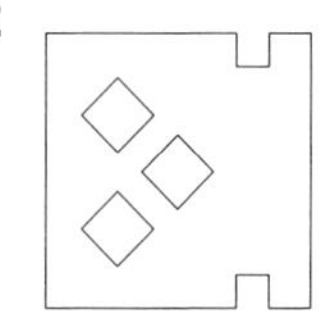

3
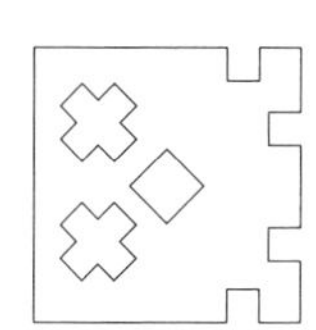

4
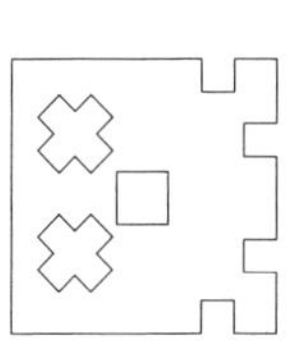

5
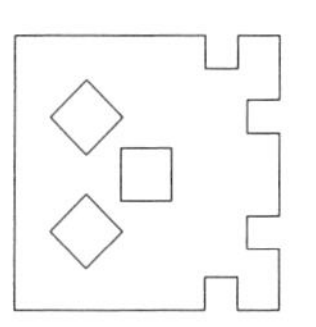

答

特訓問題 2

正方形 ABCD の辺 AB，CD の上に点 P，Q を BP = DQ となるようにとり，PQ を折り目として図①のように折り曲げると図②のような図形となります。このとき B が B′ に，C が C′ に移ります。B′C′ と AP との交点を S，AD との交点を R とし，PQ の中点を O とします。
次に OR を折り目として C′ を A に，Q を P に重ねると図③のような図形になります。この図形をさらに OS を折り目として B′ を A に，P を R に重ねると図④となります。
ここで図④の四辺形を図に示した直線 XY に沿って切断します。その後に折りたたんだ紙を広げたときの図形として正しいものはどれでしょうか。次のうちから選びなさい。

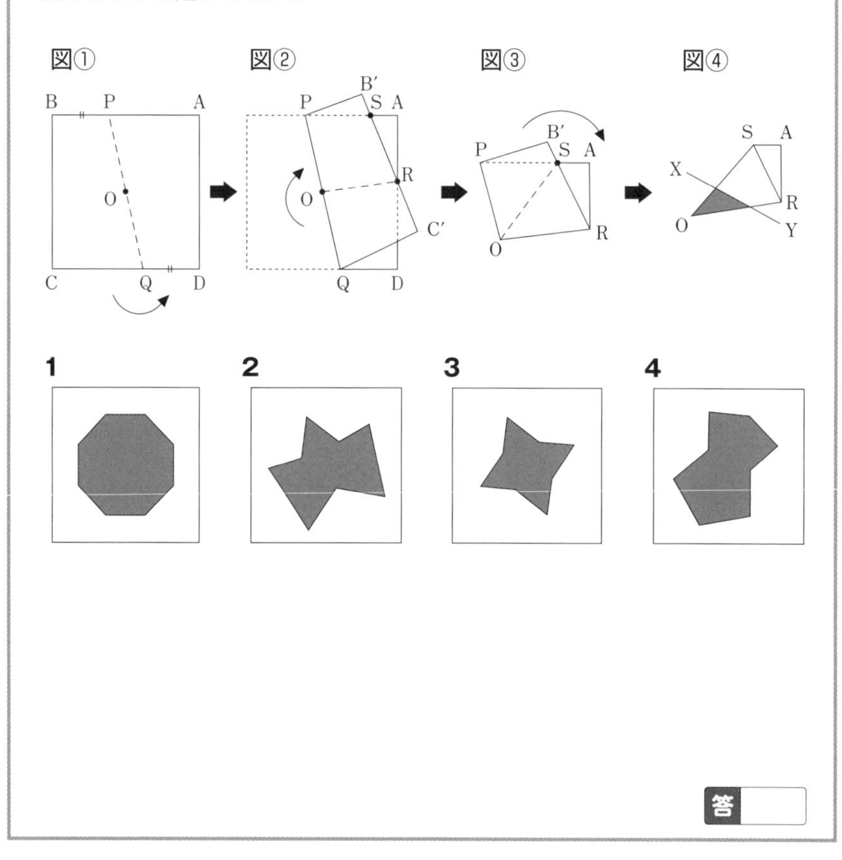

答

特訓問題 3

折り紙を四つ折りにして図のように斜線部分を切り取りました。再び折り紙を広げたとき次の中でありえないものはどれでしょうか。次のうちから選びなさい。

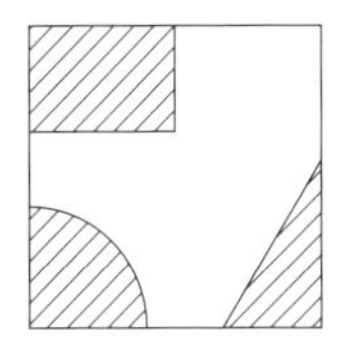

1

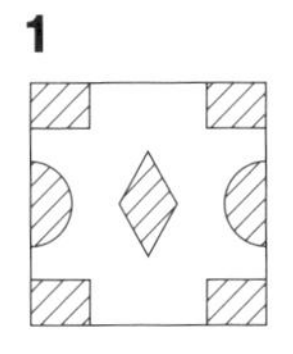

2

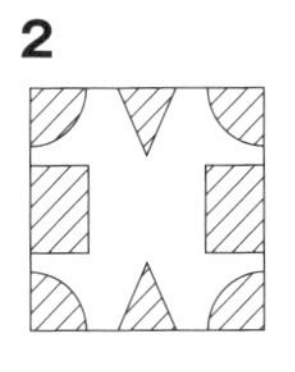

3

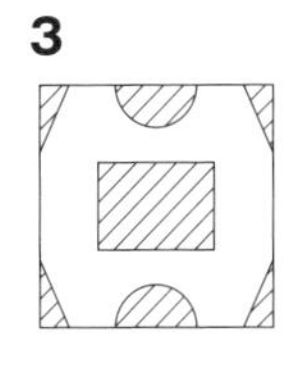

4

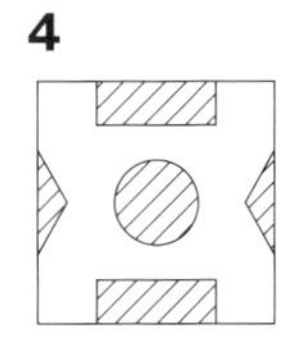

5

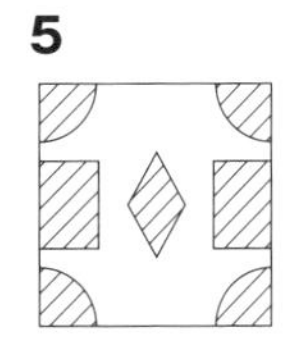

答

解答・解説

特訓問題 1

折った順を逆にたどって開いていきます。その際，折り目に関して線対称となるように図をかいていくと，下図のようになります。

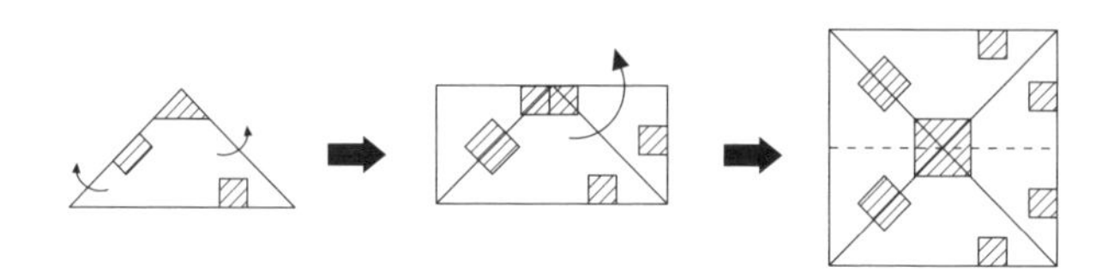

したがって，正解は**5**とわかりました。

正解 5

特訓問題 2

最後に切断した状態から，折り目の線を点線で示しながら，もとの開いた状態まで反対の順で描いていき，点線で対称にして切断した部分を斜線で描き込んでみると，次の図のようになります。

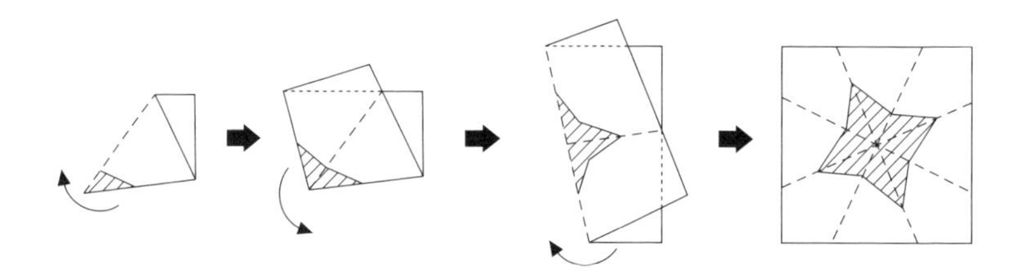

正方形の状態まで開くと，切り抜かれた部分は右端の図のように傾いた十字形となります。

よって，正解は**3**です。

正解 3

特訓問題 3

広げたときの図形は折り目の線(点線)に関して対称に現れることに注意して，広げていきます。まず初めにどの辺を折り目と考えるかで，下の 4 通りが考えられます。

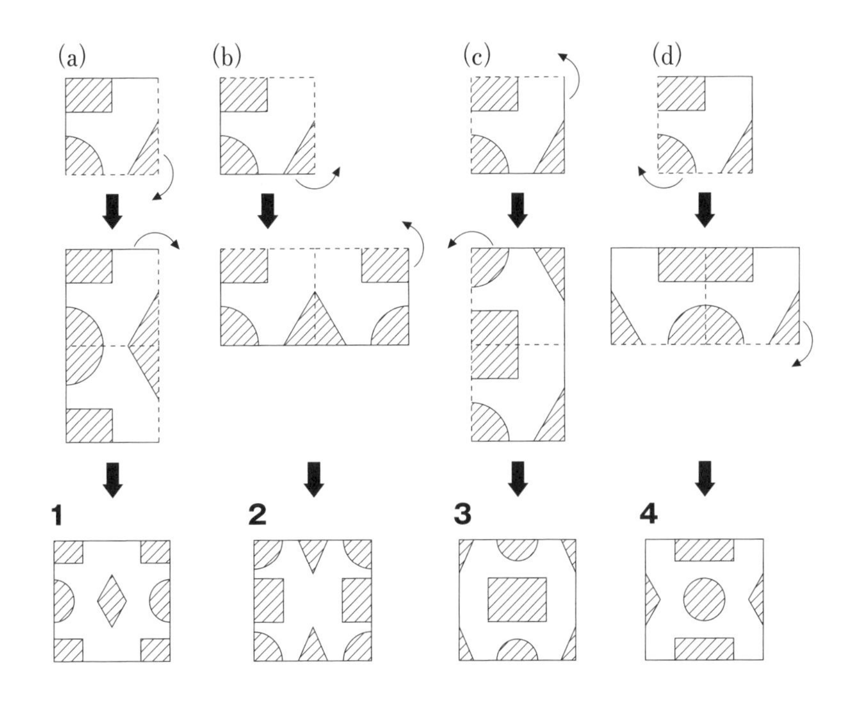

図から，ありえないのは 5 ということがわかります。
よって，正解は **5** です。

正解 5

判断推理 12

平面推理

各平面図形の特徴を考えて，できるだけ論理的に調べよう！

STEP 1 まずは，例題を解いてみよう！

右図のようなタイルがあります。

下の図形の中でこのタイルで敷き詰められるものはどれですか。ただし，タイルの向きは自由に変えてもかまいません。また，斜線の部分にはタイルはおけないこととします。

1

2

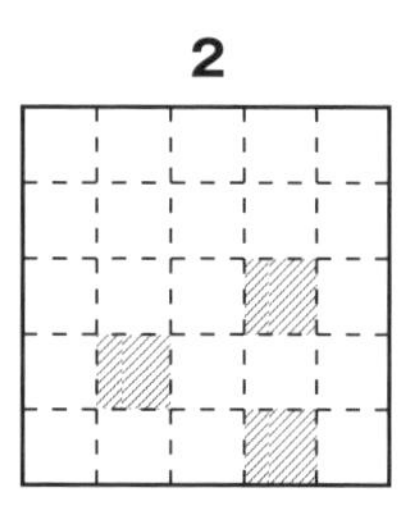

3

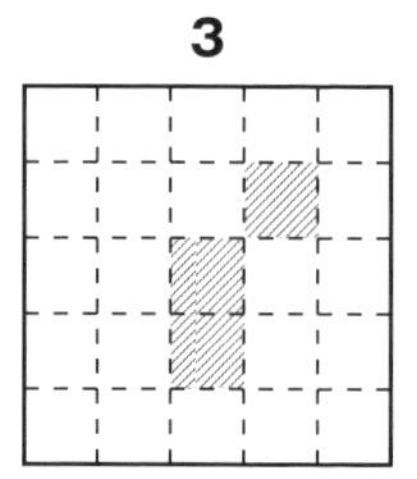

STEP2 解説を読んで，ポイントをつかもう！

このような問題においては，試行錯誤を繰り返しても，解答にはまず到達できません。できるだけ論理的に考えましょう。まず，問題の方眼に○と×を交互に入れてみます。

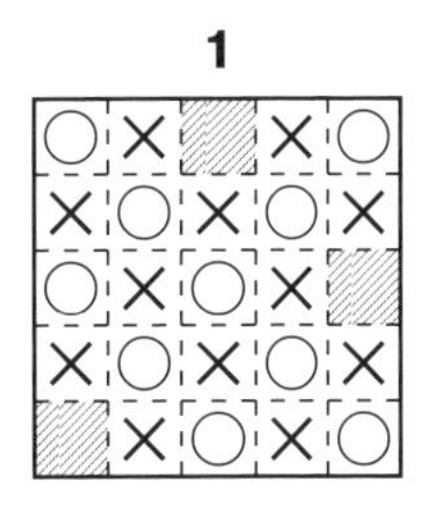

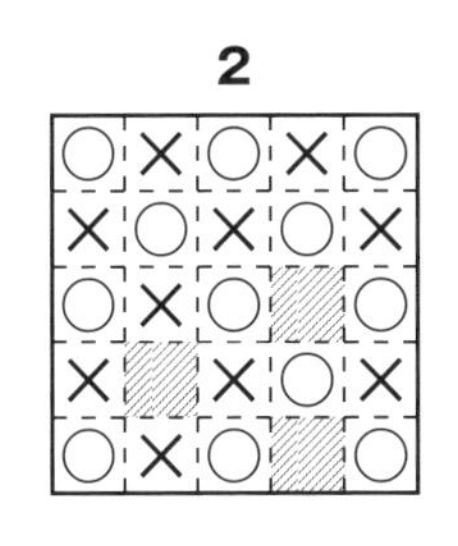

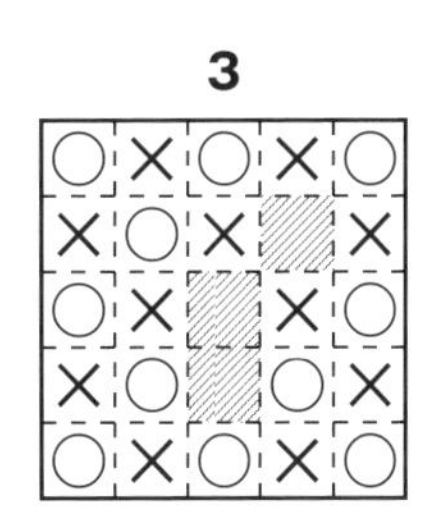

ここで，それぞれ○と×の数を数えてみます。

1……　○ 10 個，× 12 個
2……　○ 12 個，× 10 個
3……　○ 11 個，× 11 個

タイルには○と×が1つずつ入りますので，タイルで敷き詰められるためには○と×が同数であることが必要です。するとこの場合では3しかありません。本当にできるか図で確かめてみましょう。

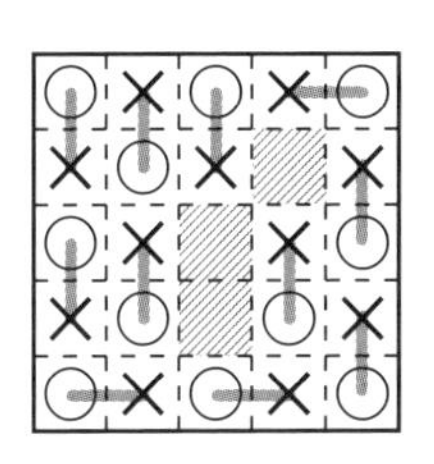

正解は**3**です。

解き方のポイント

① 平面図形をいくつかの部分に分割する場合は，重複や，数え落としをなくすために，方眼の中に○，×を書き入れたり，分割する形をまず分類したりして，できるだけ論理的に調べるようにしましょう。

② 平面図形の問題には，どうしても試行錯誤を繰り返すしかない(はっきりとした方針が立たない)ものもあります。そのような場合でも，面積や長さ(三平方の定理などを用いるなど)を考えることにより，選択肢の中のいくつかを排除できることがかなりあります。
やみくもに調べる前に，その図形のもつ特徴を考えるようにしましょう。

STEP3 特訓問題を解いて，しっかり理解しよう！

特訓問題 1

下の１～５の図形のうち，４つの図形を組み合わせて図の正方形を作るとき，使用しない図形はどれですか。次のうちから選びなさい。

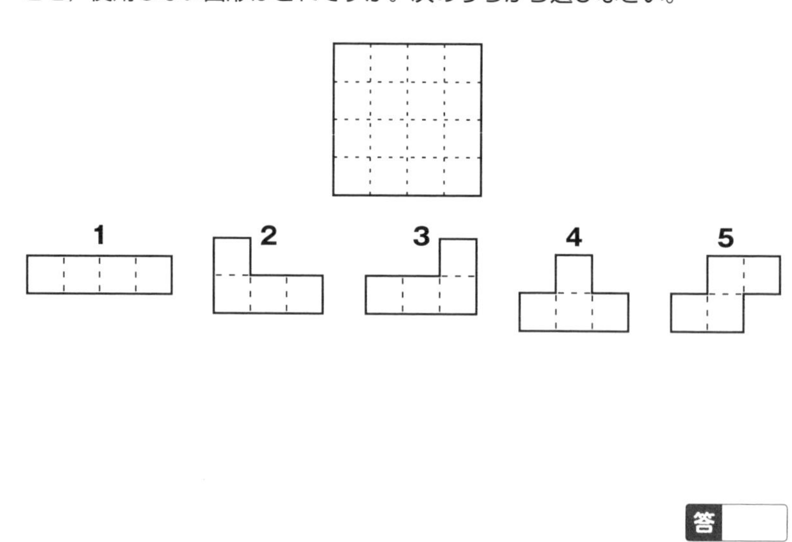

答

特訓問題 2

面積が９の正方形(下図)を，点線に沿って面積が３と６の２つの部分に切り分けるとき，その切り分け方は何通りありますか。次のうちから選びなさい。

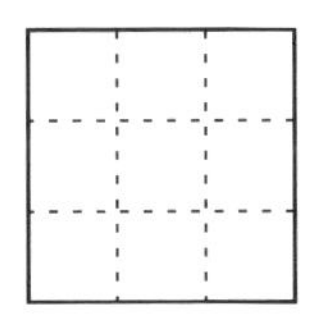

1　15 通り　　**2**　16 通り　　**3**　17 通り　　**4**　18 通り
5　19 通り

特訓問題 3

下の平面図形を，線に沿っていくつかに切り分けるとき，切り分けてできた断片を組み合わせると正方形になるものは次のうちどれでしょうか。次のうちから選びなさい。

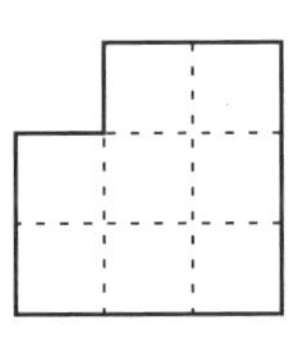

1

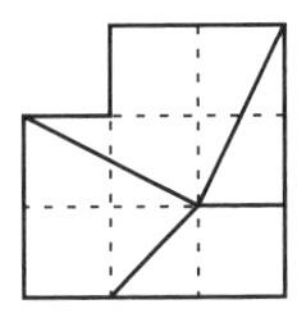

2

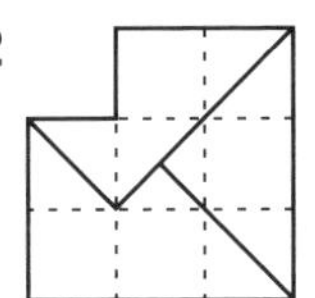

3

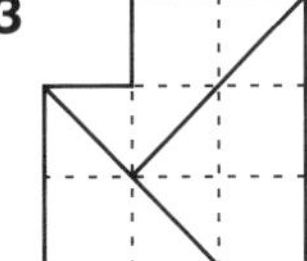

答

解答・解説

特訓問題 1

試行錯誤を繰り返すより論理的に考えてみましょう。

まず，1～5の図形のマス目に交互に○と×を記入していきます。

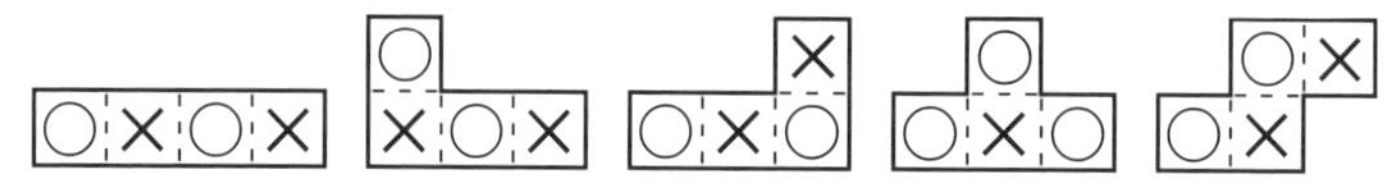

すると，1，2，3，5 の図形には○と×が2個ずつ入りますが，4の図形にだけは○と×が同数入りません。ところで，組み合わせて作る正方形の中のマス目は $4 \times 4 = 16$ 個ありますので，○と×をその正方形に記入すると当然同数個入ります。つまり4の図形を使うと，残りのどれと組み合わせても○と×を同数にできませんので正方形を作ることができないわけです。

したがって，使用しない図形は**4**しかないことがわかります。では，実際に正方形を作ってみましょう。

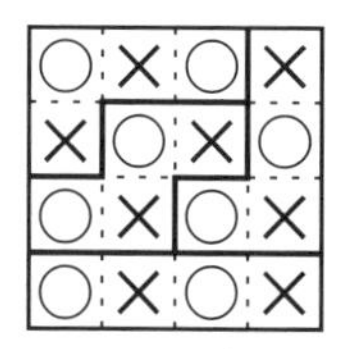

正解 4

特訓問題 2

面積が3の図形の形で分類してみましょう。

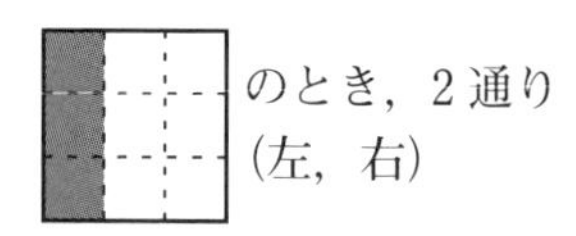

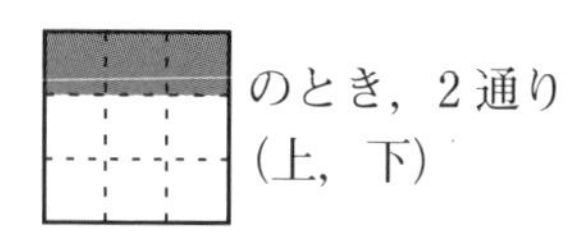

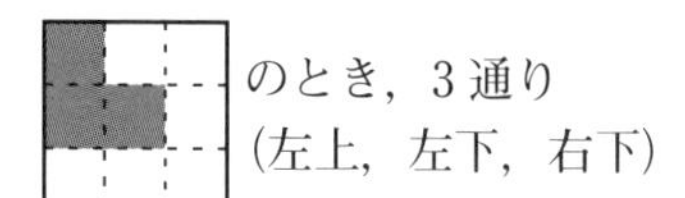

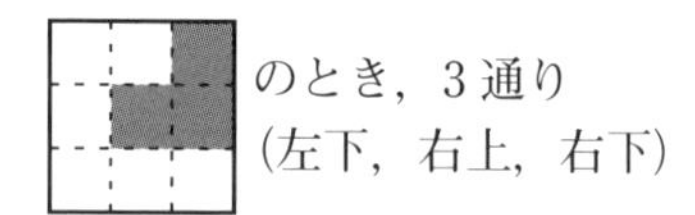

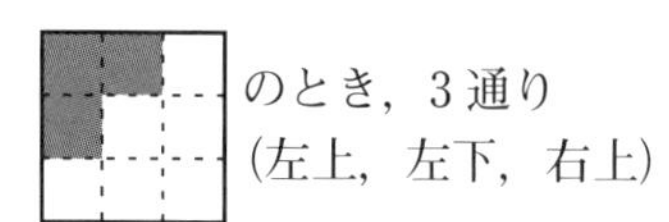

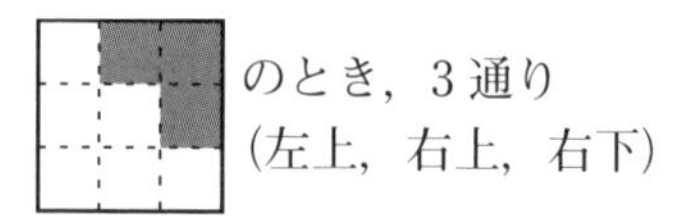

以上より，16通り考えられます。

正解 2

特訓問題３

問題の図形の面積は８です。したがって，切り分けた断片を組み合わせた正方形の１辺の長さを x とすると $x^2=8$ となります。

ですから，新しくできる正方形の１辺の長さは $x=2\sqrt{2}$ となります。これは１辺の長さが２の正方形の対角線の長さと同じです。

つまり $2\sqrt{2}$ の長さが現れるように切り分けて，その切り口が１辺になるように組み合わせていけばよいわけです。

1，2，3 の中で $2\sqrt{2}$ の長さが切り口に２回現れるのは３だけです。正解は**3**です。

では，実際に組み合わせてみましょう。

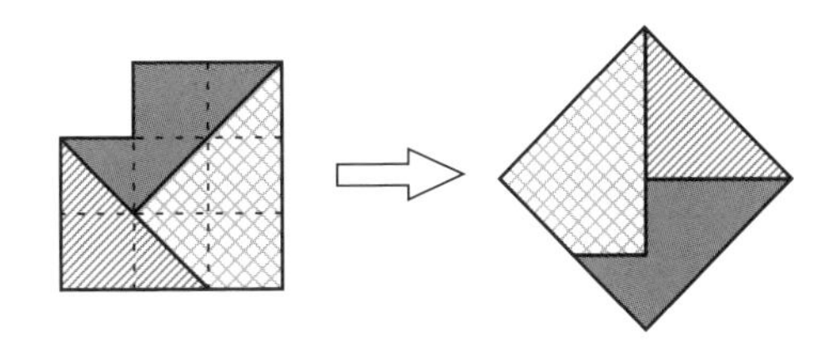

正解　3

判断推理 13

立体推理

見取り図からいろいろな方向から見た図を推理してみよう！

STEP1 まずは，例題を解いてみよう！

10個の立方体が図のように接着されています。すべての面に色を塗った後に切り離したとき，3面のみが塗られた立方体はいくつあるでしょうか。

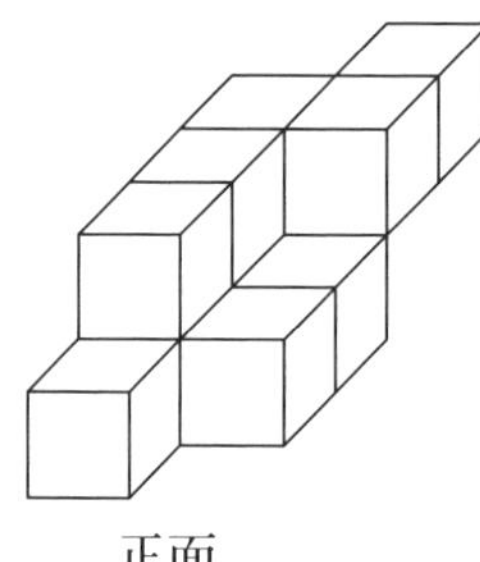

正面

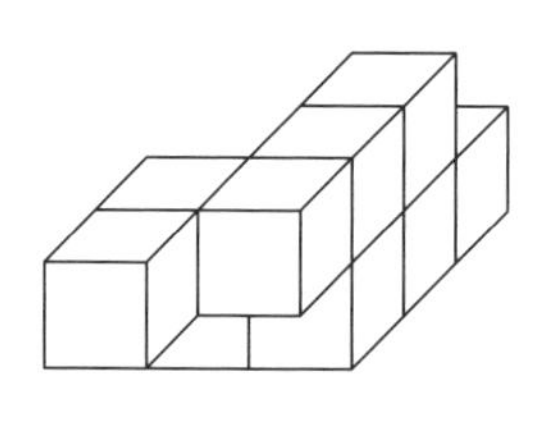

背面

1 2個 **2** 3個 **3** 4個 **4** 5個 **5** 6個

STEP2 解説を読んで，ポイントをつかもう！

他の立方体と接着されていないところに色が塗られていますから，図では見えていない面ですが，下の段の立方体の下の面は塗られています。逆に上の段の立方体では上の面が塗られています。

加えて上に立方体がのっていたり，下に立方体があるとその面は塗られていません。

以上を踏まえて一つ一つの立方体が何面塗られているかということを調べていくと，次の図のようになります。数字は塗られている面の数を表しています(アミかけ部分は3面色が塗られている立方体です)。

3	4
2	4
5	

下の段
(正面)

	5
4	4
3	
4	

上の段
(正面)

以上から，全部で**2個**あることがわかります。

各段ごとに図をかいて，一つずつていねいに調べていきましょう。

STEP3 特訓問題を解いて，しっかり理解しよう！

特訓問題 1

同じ大きさの小立方体を 64 個積み上げて図のような大立方体を作り，底面を除くすべての面に黒いペンキを塗りました。このとき，2 つの面が黒く塗られた小立方体はいくつありますか。次のうちから選びなさい。

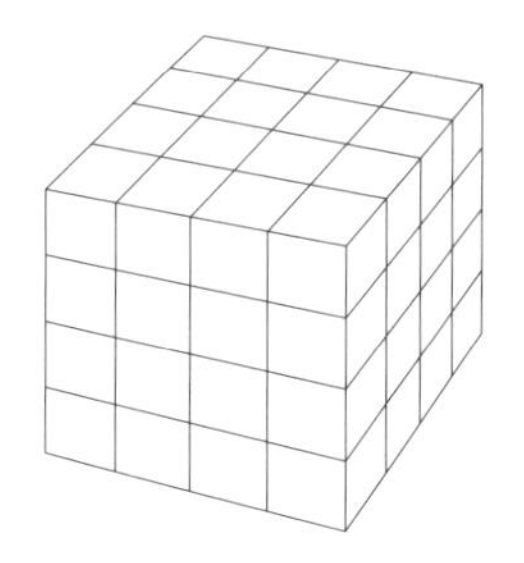

1 16 個　**2** 18 個　**3** 20 個　**4** 22 個　**5** 24 個

答

特訓問題２

16 個の同じ大きさの立方体を図のように積み上げました。３面が他の立方体と接している立方体は何個あるでしょうか。次のうちから選びなさい。

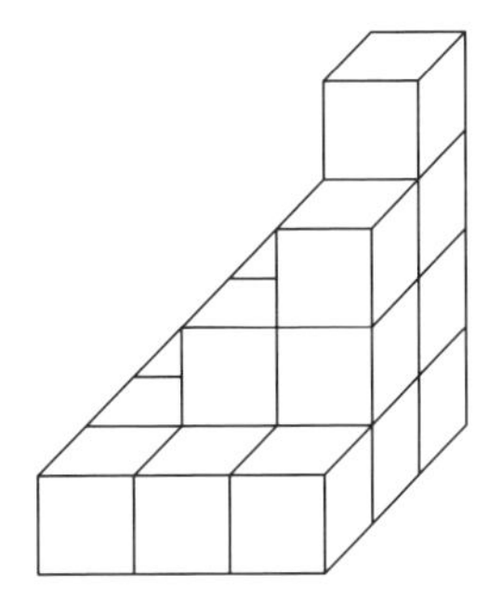

1　3 個　　**2**　4 個　　**3**　5 個　　**4**　6 個　　**5**　7 個

答

特訓問題 3

図のように 27 個の立方体を積み上げ，「●」のところから，重なっている立方体を突き抜けるようにして，面に対して垂直の穴をあけました。このとき，穴のあいていない立方体の個数はいくつあるでしょうか。次のうちから選びなさい。

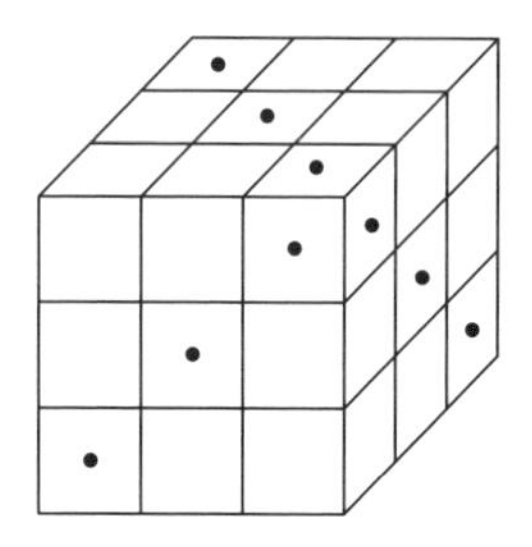

1 6 個　**2** 7 個　**3** 8 個　**4** 9 個　**5** 10 個

解答・解説

特訓問題 1

下から 4 段に分けて考えます。図に示したように各段に含まれる 2 面が塗られた小立方体の数は，1，2，3 段目は 4 個，4 段目は 8 個となっています。

3	2	2	3
2	1	1	2
2	1	1	2
3	2	2	3

4 段目

2	1	1	2
1	0	0	1
1	0	0	1
2	1	1	2

3 段目

2	1	1	2
1	0	0	1
1	0	0	1
2	1	1	2

2 段目

2	1	1	2
1	0	0	1
1	0	0	1
2	1	1	2

1 段目

したがって，全部で 8 ＋ 4 ＋ 4 ＋ 4 ＝ 20(個)とわかりました。

正解 3

特訓問題 2

見取り図をもとに，どこが何段重なっているかをまず確認しましょう。数字は重なっている段数を表しています。　……図(a)

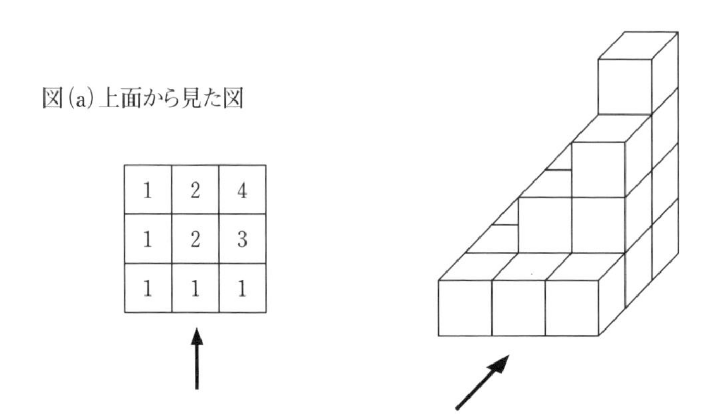

次に，各段ごとに各立方体のいくつの面が他の立方体と接しているかを図にして確認していくとよいでしょう。

まず，1段目ですが，右奥の立方体は左と手前と上面の3つの面が他の立方体と接しています。また2段目の右奥の立方体は角なので，外側は他の立方体と接してなく，下面と左と手前と上面の4つの面が他の立方体と接しています。下図の数字は接している面の数を表しています。このように作業をしていったのが図(b)です。

この図から，3面が他の立方体と接している立方体(色のついた部分)は，1段目に3個，2段目に2個，3段目に1個，計6個あることがわかります。

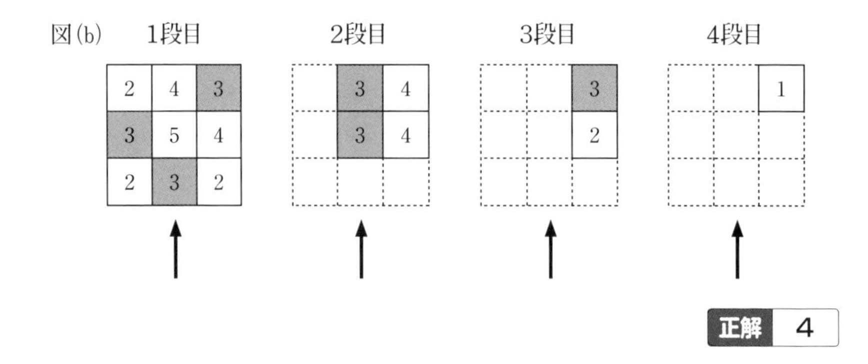

正解 4

特訓問題 3

上中下段の３段に分けて真上から見た図を描き，穴の位置を図に記入し，残っている穴のあいていない立方体を数えます(図の中の線は横にあけた穴の通り道で，色のついた部分は真上からの穴があいている立方体です)。

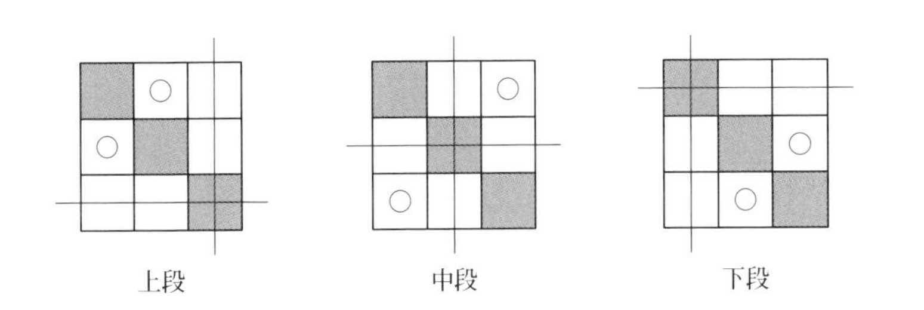

線が通ってなく，色もついていない部分(○印)が，求める穴のあいていない立方体です。これを数えると，上の段から順に２個，２個，２個あり，合計で，
２＋２＋２＝６(個)あります。

正解 1

memo

投影推理

三方向からの図より各段の個数を読みとろう！

STEP1 まずは，例題を解いてみよう！

下の図は同じ大きさの小さい立方体を積み上げて作った立体の投影図です。このとき，小さい立方体は何個ありますか。

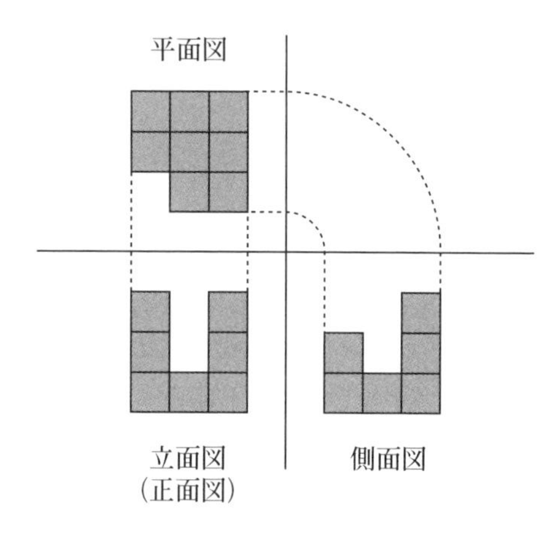

解説を読んで，ポイントをつかもう！

各段に分けて考えます。

〔1段目〕平面図より，8個

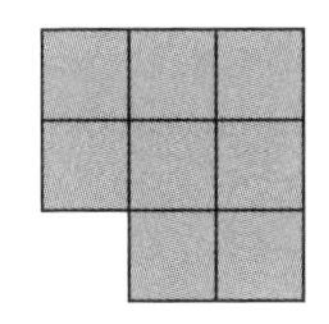

〔2段目〕立面図，側面図より，3個

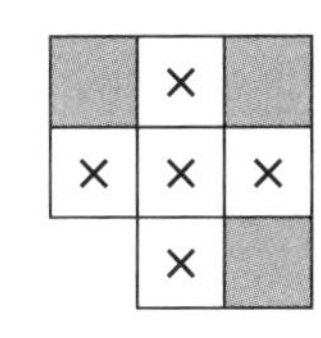

〔3段目〕立面図，側面図より，2個

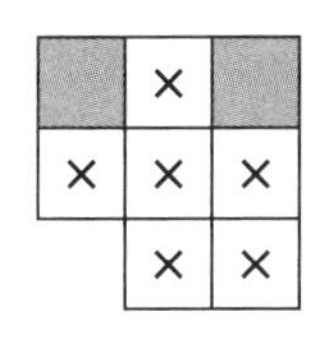

したがって，8＋3＋2＝13個とわかりました。

解き方のポイント

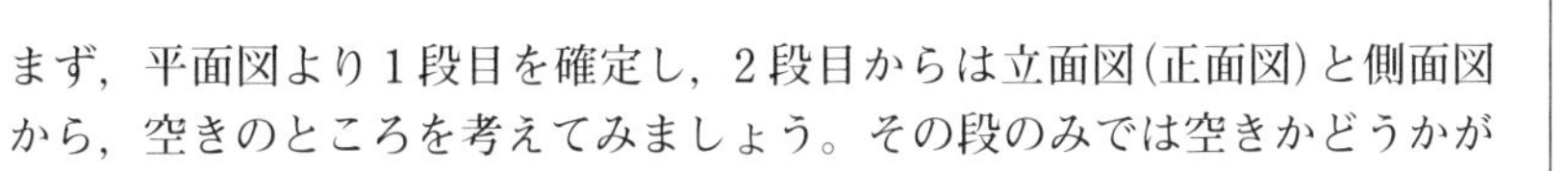

まず，平面図より1段目を確定し，2段目からは立面図(正面図)と側面図から，空きのところを考えてみましょう。その段のみでは空きかどうかがわからないときは，その上に立方体があるのかどうかで判断しましょう。

STEP3 特訓問題を解いて，しっかり理解しよう！

特訓問題 1

下の図は同じ大きさの小さい立方体を積み上げて作った立体の投影図です。このとき小さい立方体は何個ありますか。次のうちから選びなさい。

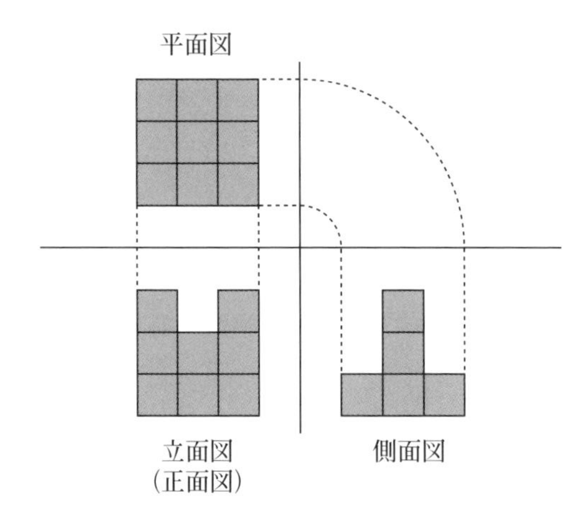

1　13個　　**2**　14個　　**3**　15個　　**4**　16個　　**5**　17個

答

特訓問題 2

下の図は同じ大きさの小さい立方体を積み上げて作った立体の投影図です。このとき小さい立方体は，最も多い場合何個ありますか。次のうちから選びなさい。

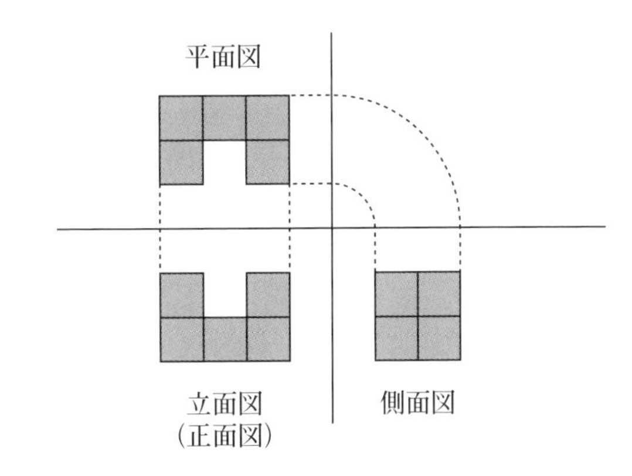

1　6 個　　**2**　7 個　　**3**　8 個　　**4**　9 個　　**5**　10 個

答

特訓問題３

下の図は同じ大きさの小さい立方体を積み上げて作った立体の投影図です。このとき立方体は，最も少ない場合何個ありますか。次のうちから選びなさい。

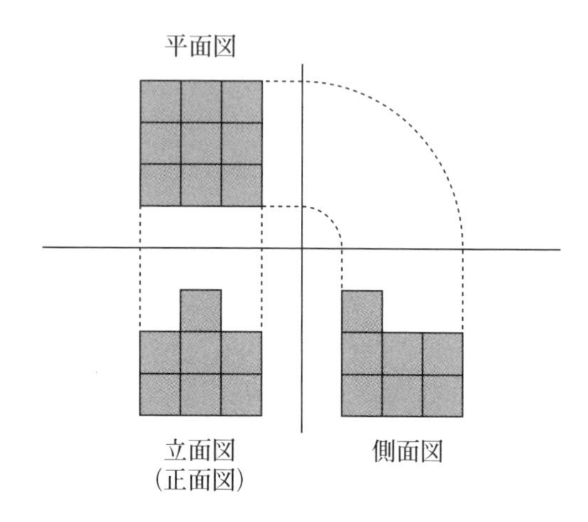

1　13個　**2**　14個　**3**　15個　**4**　16個　**5**　17個

答

解答・解説

特訓問題 1

各段に分けて考えます。

〔1段目〕平面図より，9個

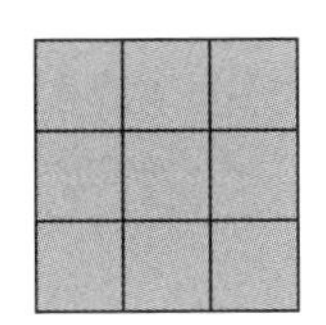

〔2段目〕立面図，側面図より，3個

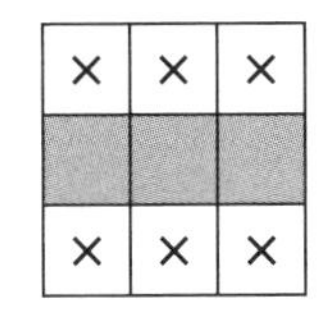

×…空き

〔3段目〕立面図，側面図より，2個

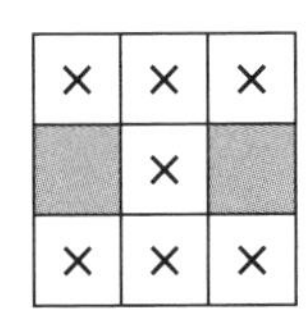

×…空き

したがって，9＋3＋2＝14(個)とわかりました。

正解 2

特訓問題 2

各段に分けて考えます。

〔1 段目〕平面図より，5 個

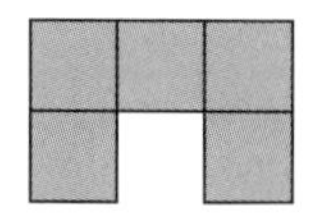

〔2 段目〕立面図，側面図より，以下のようになる。

1	×	3
2	×	4

×…空き

ここで，1 ～ 4 の所は，立面図，側面図からでは立方体の存在を確定はできません。

ここでは，最も多い場合を考えるので，1 ～ 4 すべてに立方体があったとすると，4 個になります。

したがって，5 ＋ 4 ＝ 9(個) とわかりました。

正解 4

特訓問題３

各段に分けて考えます。

〔1 段目〕平面図より，9 個

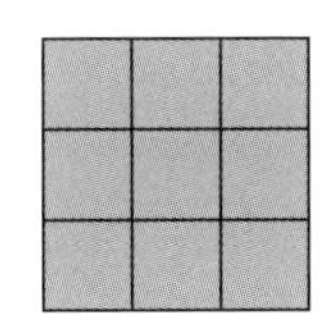

〔2 段目〕

1	2	3
4	5	6
7		8

〔3 段目〕以下のように考えて，1 個

×	×	×
×	×	×
×		×

×…空き

2 段目の 1 ～ 8 は，立方体の存在が確定できません。

この場合は最も少ない場合を考えるので，色つきの部分に加えて(1 と 6)または(3 と 4)に立方体があれば立面図と側面図の条件を満たします。

したがって，2 段目は 3 個とわかりました。

以上より，最も少ない場合は，9 ＋ 3 ＋ 1 ＝ 13 個となります。

正解 1

判断推理 15

手順推理

問題の条件をよく読み，場合分けをしながら考えよう。

STEP 1 まずは，例題を解いてみよう！

図のようにA～Cに3本の棒が立っていて，Aの棒には穴のあいた大きさの異なる3つの輪が，下から大きい順に重なっています。この3つの輪をBの棒に移したいと思います。最低で何回，輪を移動させればよいでしょうか。ただし，小さい輪の上に大きい輪をのせないこととし，また，1回に1つの輪しか動かせないものとします。

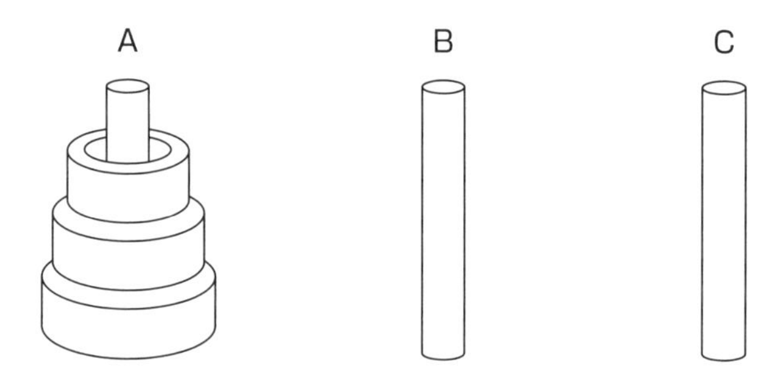

3つの輪を小さい方から，①，②，③とします。次の表のようにすれば，7回で済むことがわかります。よって，正答は**7回**です。

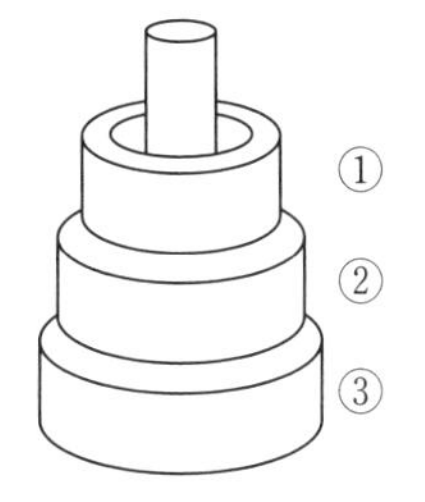

回数	手順	A ① ② ③	B	C
1	①をBに	② ③	①	
2	②をCに	③	①	②
3	①をCに	③		① ②
4	③をBに		③	① ②
5	①をAに	①	③	②
6	②をBに	①	② ③	
7	①をBに		① ② ③	

答 7回

解き方のポイント

問題の中にあるルールをまず理解することが大切です。
何通りもの手順があることが多いので，表などをうまく使って考えていきましょう。

STEP3　特訓問題を解いて，しっかり理解しよう！

特訓問題 1

6 袋の粉薬包みがあり，そのうちの 1 袋は誤って重く包装しました。天秤のみを使用して確実にこの包みを見つけ出すのには，最も少なくて天秤を何回使用すればよいでしょうか。次のうちから選びなさい。

1　1 回　　**2**　2 回　　**3**　3 回　　**4**　4 回　　**5**　5 回

特訓問題 2

図のような白黒に塗り分けられたゲーム盤に次のア～ウの条件を満たすように駒を置く場合，必ず駒が置かれるマス目はどれでしょうか。次のうちから選びなさい。

ア　各行，各列にそれぞれ 1 つずつ駒を置く。
イ　白いマス目に駒は置けるが，黒いマス目には置けない。
ウ　斜めに連続して 3 つ駒は置けない。

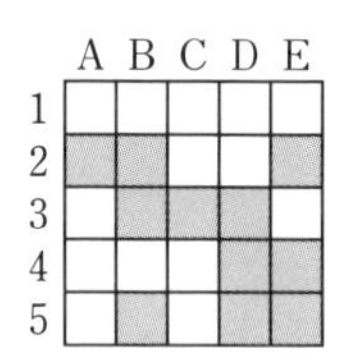

1　1 行 A 列　　**2**　2 行 D 列　　**3**　3 行 E 列　　**4**　4 行 C 列
5　5 行 A 列

答

特訓問題 3

図(a)のように縦横4つずつ計16個のマスにそれぞれA～Pにアルファベットを記し，これらのアルファベットの書いてあるマスを次の順に1つずつ塗りつぶしていきました。

B→E→D→(　　)→C→N→(　　)→I→M→L→(　　)→A→H→(　　)→P→O

ただし，(　)には，F，G，J，Kのいずれか1つずつが入ります。このとき，図(b)に例示するように縦，横，斜めいずれかの連続する4マスが塗りつぶされるのは，何個目でしょうか。最も早い場合と最も遅い場合の組合せで，正しいものを選びなさい。

図(a)

A	B	C	D
E	F	G	H
I	J	K	L
M	N	O	P

図(b)

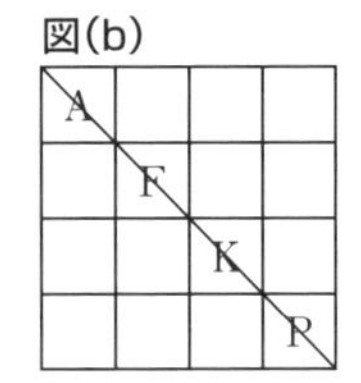

	最も早い場合	最も遅い場合
1	6	10
2	7	10
3	7	12
4	9	12
5	9	13

答

解答・解説

特訓問題 1

まず3袋ずつに分けて，天秤にのせます。

重いものは1袋しかないので，必ずどちらかに傾きます。その重い方の任意の2袋を取り出して量り，もし，つり合えば，残っている1袋が重いことになります。また，傾けば，傾いた方が重いものとわかります。

いずれにしても天秤は2回使うだけでよいことになります。

よって，正解は**2**です。

正解　2

特訓問題 2

B 列は 1 行か 4 行のいずれかに駒を置くことになりますから，条件にしたがって他の駒を置いていくことにします。

（ア）B 列 1 行に駒を置く場合

B 列 1 行に駒が入ると, D 列は 2 行にしか置けないことになります(表①)。そして E 列は 3 行と決まります(表②)。

A 列と C 列は 4 行と 5 行のどちらでもよいことになります。

表①

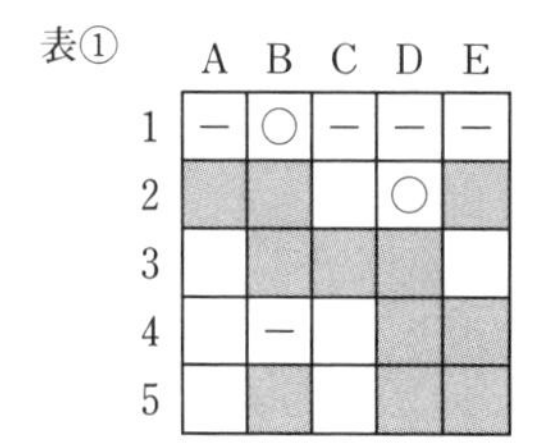

	A	B	C	D	E
1	−	○	−	−	−
2				○	
3					
4		−			
5					

表②

	A	B	C	D	E
1	−	○	−	−	−
2			−	○	
3	−				○
4		−			
5					

（イ）B 列 4 行に駒を置く場合

3 行は A 列か E 列で，A 列だとすると 5 行は C 列しかありませんが，そうなると斜めに 3 つ並んでしまい，ウの条件に反します。そこで 3 行は E 列に決まります(表③)。

次に 2 行を C 列に置いた場合は 5 行が A, 1 行が D しか置けません(表④)。また，2 行を D 列に置いた場合は 1 行と 5 行は A 列または C 列となりますが，ウの条件より 1 行目は A 列，5 行目は C 列となります(表⑤)。

表③

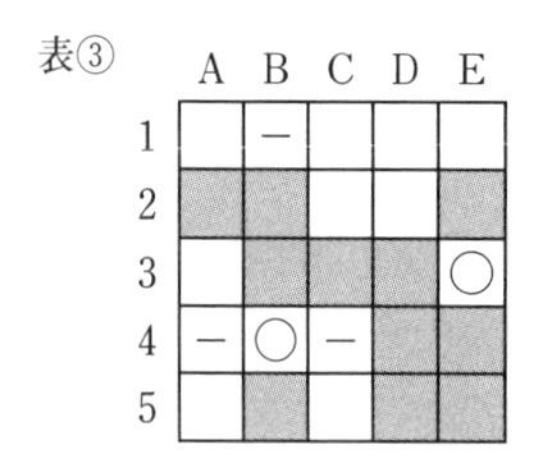

	A	B	C	D	E
1		−			
2					
3					○
4	−	○	−		
5					

表④

	A	B	C	D	E
1		−	−	○	−
2			○	−	
3	−				○
4	−	○	−		
5	○		−		

表⑤

	A	B	C	D	E
1	○				
2				○	
3					○
4		○			
5			○		

ここで，選択肢をみると，どの場合にもいえるのは 3 行目は E 列ということです。よって正解は **3** です。

正解 3

特訓問題 3

順番のわからない(　)には中央の4つのマスのどれかが入ることが塗りつぶしの順の条件からわかります。

(ア) 最も早い場合

6個目では，B，E，D，C，Nおよび中央の4か所のうち1か所だけがうまりますから，連続する4マスを塗りつぶすのは不可能です(図①)。

7個目では，B，E，D，C，Nおよび中央の4か所のうち2か所がうまり，4個目と7個目の2つがFとJであれば可能です。よって，最も早いのは7個目です(図②)。

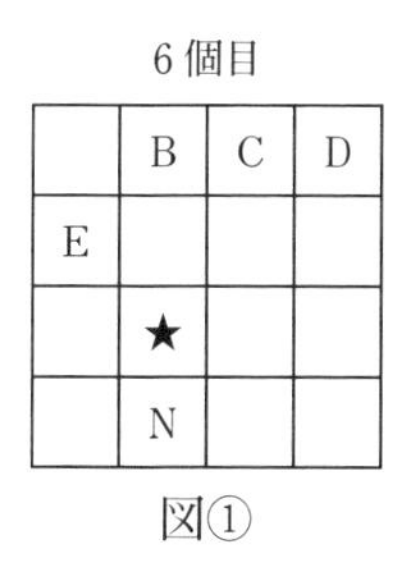

6個目

B
C
D
E
★
N

図①

7個目

B
C
D
E
F
J
N

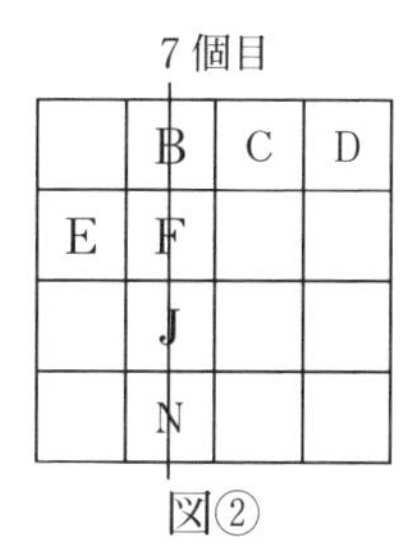

図②

(イ) 最も遅い場合

12個目までにA，B，C，D，E，I，Mが出てきているので，12個目には必ず，上から1行目および，左端の縦1列の連続する4マスが塗りつぶされます。

11個目では，B，E，D，C，N，I，M，Lと中央の4か所のうち3か所がうまりますが，図③のようにそれがFとGとKであれば11個目の段階ではまだ連続する4マスは塗りつぶされてはいません。すなわち，最も遅い場合は12個目です(図④)。

11個目

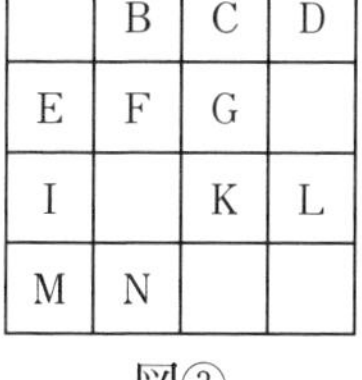

B
C
D
E
F
G
I
K
L
M
N

図③

12個目

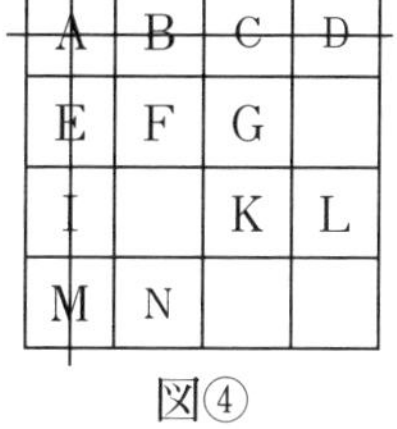

A
B
C
D
E
F
G
I
K
L
M
N

図④

よって，正解は**3**です。

正解 3

絶対決める！
数的推理・判断推理 公務員試験合格問題集

編　者　受験研究会
発行者　富永靖弘
印刷所　誠宏印刷株式会社

発行所　東京都台東区台東2丁目24　株式会社　新星出版社
〒110-0016 ☎03(3831)0743